SYLVIE LOUIS

Le journal d'Alice

Ne m'appelez plus JAMA

DOMINIQUE ET COMPAGNIE

Lundi 11 octobre

En arrivant en classe, madame Robinson nous a distribué un cahier d'exercices de préparation aux examens d'admission au secondaire. Car plus de la moitié d'entre nous souhaitent étudier dans une école privée, l'an prochain. La prof s'est montrée rassurante. Elle trouve notre classe très forte en maths. Il faut dire que l'an dernier, monsieur Gauthier nous a fait faire tant de jogging et de volleyball mathématiques qu'on s'est tous améliorés. À partir d'aujourd'hui, on débutera donc la journée par 20 minutes de travail dans le fameux cahier. Mais à peine avait-on commencé que Jonathan, qui gigotait sur sa chaise, est tombé dans un grand fracas. Nous, même si on sursaute à chaque fois, on y est habitués, depuis le temps… Mais ça a le don de taper sur les nerfs de notre enseignante (au moins autant que sur ceux de madame Tremblay, en 4e année).

Contrairement à son habitude, Patrick avait l'air abattu. À la récré, Africa lui a demandé :
– Ça ne va pas, Pat ?
– Bof… Mon père a appris vendredi qu'il était licencié.
– Licencié… ?
– Il a perdu son emploi. Et trois de ses collègues également.
– Oh, c'est pas drôle ! me suis-je exclamée. Je suis désolée.
– Je me souviens de l'année où ma mère était au chômage, a raconté Catherine Frontenac. Ce n'était pas facile, ni

pour elle, ni pour le reste de la famille. Je souhaite que ton père retrouve très vite un boulot, Pat.
– Merci, Catherine.

Cet après-midi, une fine pluie tombait lorsqu'on est sorties de l'école, ma sœur Caroline et moi. J'attachais mon casque de vélo lorsqu'il m'a semblé entendre « Biquette ! ». Je devais être victime d'une hallucination. Car, si ma mère me surnomme ainsi, elle ne le fait (heureusement !) jamais en public. D'ailleurs, elle n'était pas dans les parages. Caro, prête à filer à la maison, m'a lancé : 
– Dépêche-toi, Alice, sinon on va être trempées !

Je m'apprêtais donc à enfourcher ma bicyclette lorsqu'un autre « Biquette ! » est parvenu à mes oreilles, plus distinctement celui-là. J'ai enlevé mon casque.
– Biqueeette ! Cibouleeette !

Cette fois, plus de doute possible ! Maman se trouvait au coin de la rue. Nous faisant de grands signes à ma sœur et moi, elle a encore crié :
– Venez vite ! Je vais rejoindre Zoé dans la fourgonnette.

Quoi, Astrid Vermeulen avait OSÉ m'appeler Biquette devant l'entrée de la cour ! Et pas discrètement, en plus. Comme si elle avait clamé mon surnom dans un haut-parleur ! La moitié de l'école avait dû l'entendre.

LA HONTE !!!

Caro et moi, on l'a rejointe en poussant nos vélos sur le trottoir. Comme maman reste à la maison le lundi, lorsqu'elle a vu qu'il pleuvait, elle a décidé de venir nous chercher. C'était gentil de sa part, j'en conviens. N'empêche, en plaçant mon vélo et celui de ma sœur dans le coffre, je fulminais. Ma mère ne s'en est même pas aperçue.

Après avoir démarré, elle nous a demandé des nouvelles de notre journée. Caroline lui a répondu :

– Madame Popovic nous a appris une chanson d'Ariane Moffatt.

– Laquelle ?

– *Montréal.*

Et Caro a entonné :

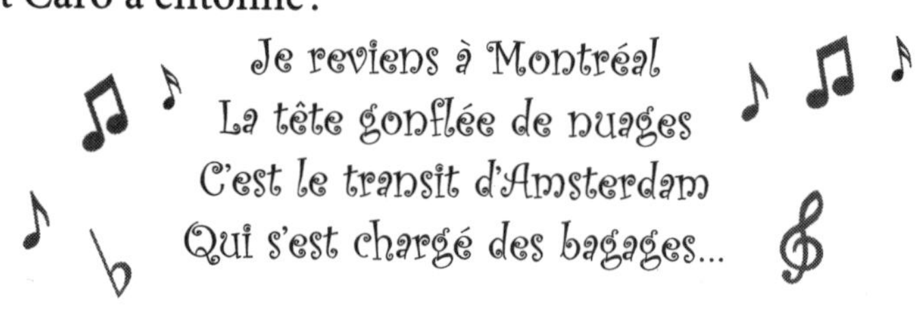

– Euh non, du glaçage, a rectifié ma sœur. Je ne connais pas encore toutes les paroles. J'ai jusqu'à vendredi pour l'apprendre.

– Si tu veux, on la chantera ensemble, a dit maman. J'aime beaucoup Ariane Moffatt.

– La, la, la ! a renchéri Zoé, en faisant claquer ses nouvelles bottines rouges sur son siège de bébé.

– Hi, hi ! a rigolé Caro en chatouillant notre bébé chéri. Tu es trop *cute,* Zouzou. Et toi, tu as passé une bonne journée, maman ?

– Une merveilleuse journée, Ciboulette !
– Ah oui ?! Raconte !
Pleine d'enthousiasme, Astrid Vermeulen nous a expliqué qu'elle avait envoyé le manuscrit de *Tofu tout fou !* à la maison d'édition.
– Bravo, maman ! l'a encouragée Caroline. Et il sortira quand, ton livre ?
– Au printemps.

Une fois à la maison, j'ai filé dans la cuisine avec ma boîte à lunch, pour la nettoyer. Ma mère m'a demandé :
– Et toi, Biquette, comment ça s'est passé en classe, aujourd'hui ?
– Bien.
– Qu'est-ce que vous avez appris ?
– Rien.
– Comment ça, rien ?!
– Rien de spécial, quoi.
– En 5e année, tu me racontais toutes les choses passionnantes que vous enseignait monsieur Gauthier. Mais que faites-vous avec madame Robinson ?!
J'ai soupiré :
– Des choses…
– Écoute, Alice, je me réjouissais à l'idée de vous apprendre la grande nouvelle. Tu pourrais quitter ton air renfrogné et me répondre gentiment.
– Je suis fâchée.
– Ah oui ?! Tu t'es disputée avec tes amis ?

– Tu n'y es pas. Tout allait parfaitement bien jusqu'au moment où tu es venue nous chercher.
– Comment ça ?!!! a fait maman, stupéfaite.
– Tu m'as appelée Biquette devant l'école.
– Et alors, comment aurais-tu voulu que je t'appelle ?!
– Ben, Alice !
– C'est vrai, tu as raison. Excuse-moi, je ne recommencerai pas.
– J'espère bien ! De toute façon, le mal est fait. C'est hyper gênant, maman. Juste devant l'entrée de la cour, où des dizaines de parents et d'élèves étaient agglutinés...
– Tu es bien susceptible, ma fille ! Il ne faut pas dramatiser.

Heureusement que ma mère ne m'a pas proposé de chercher 10 points positifs à la situation, car je crois que j'aurais **explosé** ! Elle n'a quand même pas osé. Tout à coup, j'ai pensé à Gigi Foster et à ses amies Magalie et Chloé. Si, par malheur, ces « Biquette » étaient parvenus à leurs oreilles, j'étais faite ! JJF en profiterait pour me rabaisser, une fois de plus.

Bon, je m'apprête à ouvrir mon manuel d'anglais... Décidément, cette journée est éprouvante. Car depuis la crise de Cruella sur le quai du métro, le mois dernier, rien qu'à penser à son cours du mardi après-midi, ça me donne mal au ventre.

19 h 49. Finalement, ce lundi se termine quand même sur une note joyeuse. Je t'explique, cher journal : mon

cousin Olivier a eu 13 ans aujourd'hui. On lui a souhaité un bon anniversaire par Skype. On le fêtera le week-end prochain à Covey Hill, chez nos grands-parents. Au programme de samedi : une balade dans les Adirondacks (ce sont des montagnes aux États-Unis). Même oncle Alex sera de la partie !

Mardi 12 octobre

En rentrant de l'école, j'ai ouvert l'ordi, question de me détendre un peu avant de m'attaquer à mon travail scolaire. J'allais cliquer sur lola-falbala.com lorsque ma boîte de réception a attiré mon regard. J'avais un nouveau message. Devine de qui, mon cher cahier bleu ? De Karim ! Le cœur joyeux, j'ai lu et relu son courriel. Il pense à moi, youpi tralala ! Je ne sais pas s'il m'aime encore, mais au moins, il m'aime bien. C'est déjà mieux que rien. Ensuite, je lui ai répondu. Mais avec tout ça, il est déjà 17 h 39. Si je veux regarder *Samantha et ses colocs,* ce soir, j'ai intérêt à accélérer la cadence. Je viens donc d'imprimer le courriel de Karim ainsi que ma réponse pour les coller ici. Ainsi, tu auras des nouvelles fraîches de Beyrouth. Et tu sauras du même coup ce qui s'est passé à mon école aujourd'hui (mais j'espère que ça ne te déprimera pas trop… décidément, ce début de semaine n'est pas olé olé).

De: Karim Homsy
À: Alice Aubry
Envoyé le: 12 octobre
Objet: Je pense à toi

Chère Alice,

J'espère que tu es en pleine forme. Aujourd'hui, j'ai pensé à toi, car nos profs d'éducation physique et d'arabe avaient organisé une sortie scolaire tripante. On est allés faire voler des cerfs-volants sur la plage de Ramlet el-Baïda. Imagine-toi une immense plage de sable blond avec, d'un côté, la mer, et de l'autre, les gratte-ciel de Beyrouth. Tu aurais aimé!

À part ça, ma nouvelle école est cool. Il y a un ciné-club et un très grand gymnase. En plus de la cour de récré, on a un terrain de foot (pas de football américain mais de soccer, comme on dit au Québec) et deux de basketball (enfin, je me doute que pour ce point-là, tu n'y vois aucun avantage, Alice!). Tout près se trouve le stade de Chayla où je vais jouer au badminton avec mes amis et nager avec ma sœur. Pour moi qui adore le sport, c'est super!

Bon, je te laisse car mes parents nous appellent, Christina et moi. Ce soir, ils nous emmènent au resto. Et comme j'ai eu une bonne note en anglais, hier, c'est moi qui ai pu choisir où nous irons manger: chez Zaatar W Zeit. Leurs salades et leurs falafels sont délicieux.

Raconte-moi comment tu vas, toi. À bientôt!

Ton ami Karim xxx

P.-S. – En parlant d'anglais, j'espère que madame Fattal te fiche la paix, cette année.

De : Alice Aubry
À : Karim Homsy
Envoyé le : 12 octobre
Objet : Re : Je pense à toi

Cher Karim,

Tes sorties scolaires sont super cool ! Ici aussi tout va bien. Sauf au cours d'anglais, justement. Merci de penser à moi mais non, Pétula Fattal ne s'améliore pas, loin de là. Je te confie un secret : depuis l'an dernier, Marie-Ève et moi, on la surnomme Cruella ou encore Crucru. S'il te plaît, ne le dis pas à Bohumil ni à Simon, quand tu leur parleras par Skype. Tu peux comprendre pourquoi c'est top secret ! Imagine le scandale que ferait madame Fattal si elle l'apprenait !

Cet après-midi, avant de s'attaquer à la nouvelle leçon, Cruella, donc, a interrogé Hugo. Qui a eu 7/10. Puis, s'approchant de moi, elle a susurré :

– À ton tour, Alice Aubry.

Gloups. Ma bouche est devenue sèche. Et mon cœur s'est mis à battre si fort que je l'entendais dans mes oreilles. Malgré ça, la réponse a jailli automatiquement (et elle était bonne). Mais comme j'hésitais pour la suite, Crucru s'est mise à pianoter sur mon bureau avec un de ses ongles vernis de rouge (tic tic tic tic).

– J'attends..., a-t-elle dit d'un air cruel.

J'avais beau essayer de me concentrer, Karim, on aurait dit que tout ce que j'avais étudié hier s'était effacé. Derrière la prof, Audrey articulait silencieusement la réponse. C'était sympa de vouloir m'aider, mais moi, je ne parvenais pas à lire sur ses lèvres. Alors, j'ai détourné les yeux, de peur que Crucru ne m'accuse de tricher! Elle m'a posé une troisième question. Puis une quatrième. Rien à faire, mon cerveau était aussi désert que celui d'une personne plongée dans le coma. Les lèvres pincées, la prof a décrété :

– Je constate, ma fille, que, fidèle à toi-même, tu n'as pas étudié. Mais puisque, par miracle, tu as répondu correctement à la première question, tu mérites 1/10.

Si tu savais comme je déteste ça, Karim, quand madame Fattal m'appelle sa fille. Je ne me verrais vraiment pas avec une mère pareille! Tandis qu'elle retournait devant la classe, je n'ai pu m'empêcher de murmurer : « Je ne suis pas votre fille! » Un jour, il faudrait que j'aie le courage de le lui dire tout haut.

1/10, misère... D'autant plus que mon père m'avait prévenue que si mes notes d'anglais ne s'amélioraient pas, il demanderait à madame Fattal de me donner des cours de rattrapage... Tu sais combien elle me hait : c'est sûr qu'elle refuserait. Encore que rien que pour m'embêter, elle serait capable d'accepter.

Après le cours d'anglais, madame Robinson est revenue en classe. Moi, je l'aime bien, maintenant, mais figure-toi qu'elle a pris Jonathan en grippe. Si tu veux mon avis, il aurait été bien mieux dans la classe de madame Pescador. Pour en revenir à cet après-midi, Joey s'appliquait, comme nous tous, à créer une frise à l'aide de la translation et de la symétrie lorsque madame Robinson lui a demandé :

– Comment fais-tu pour avoir les doigts aussi sales?

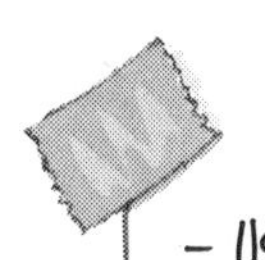
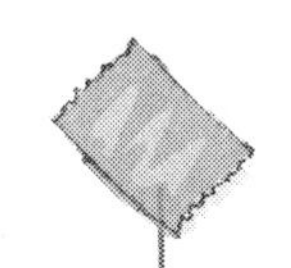

– Ils ne sont pas sales, madame, c'est juste de l'encre.

La prof a soupiré :

– Je le sais, Jonathan, mais l'encre, ça sert à écrire et non à se barbouiller.

Il a expliqué :

– Moi, j'ai toujours été comme ça : j'écris et, du coup, mes doigts sont pleins d'encre. Ça veut dire que j'ai bien travaillé.

Ensuite, comme Joey avait été interrompu dans son élan, il s'est mis à regarder par la fenêtre plutôt que de continuer sa frise. Résultat : il a eu une mauvaise note. Bref, tout ça m'a fendu le cœur.

Et toi, Karim, tes profs d'arabe et d'éduc ont l'air cool, mais les autres, les aimes-tu ? Y en a-t-il un qui te tombe dessus à la moindre occasion ? Et ton prof d'anglais, il est comment ?

Heureusement que, ce soir, l'émission *Samantha et ses colocs* me changera les idées. Cette téléserie passe-t-elle à la télé libanaise ?

Ce serait chouette de se parler un de ces jours par Skype. Mais pas le week-end prochain. Car je me trouverai aux États-Unis. Eh oui ! Comme mes grands-parents habitent à quelques kilomètres de la frontière américaine, on ira se balader là-bas dans les montagnes. À ++ !

Alice xxx

Toi aussi je te laisse, cher journal, pour m'élancer dans un marathon devoirs-douche-pyjama-dresser-la-table. C'est la seule façon de ne pas rater le début du 6e épisode de *Samantha et ses colocs*. Samantha Wilson, elle, n'est la **shpoutz** de personne. Encore que Liam Desjardins lui mène la vie dure. Mais l'étudiante de 20 ans n'est pas le genre de fille à se laisser faire. À demain !

20 h 42. Après l'émission, j'allais fermer les stores de ma chambre lorsque j'ai remarqué quelque chose de bizarre. De ma fenêtre, j'aperçois la maison derrière chez nous (enfin juste l'étage des chambres, car le rez-de-chaussée est masqué par la haie qui sépare notre terrain du leur). Elle se trouve dans la rue de Salm, cette maison. On n'a pas encore eu l'occasion de faire la connaissance de ses nouveaux occupants. Eh bien, par une des deux fenêtres dont le store était à moitié fermé, j'ai vu la lumière s'allumer puis s'éteindre, se rallumer puis s'éteindre à nouveau, à un rythme irrégulier. La lampe avait-elle un problème ? Mais alors, pourquoi ne pas changer l'ampoule ? Et si ce n'était pas la lampe, ça signifiait quoi, ce clignotement qui cesse et qui reprend ?

Mystère et boule de gomme...

Mercredi 13 octobre

Pluie, pluie, pluie. Fini de partir en vélo le matin. Papa nous a conduites en fourgonnette à l'école. Et cet après-midi, la mère de Jessica nous a gentiment déposées chez nous. En ôtant mon imperméable, j'ai proposé à Caroline de préparer un chocolat chaud avec moi.

Finie, la saison du Citrobulles...
Bonjour, celle du chocolat chaud!

– Je n'ai pas le temps. On aura un test d'anglais demain.

J'ai compati :

– Oh, pauvre...

– Pourquoi tu dis ça ?!

Pourquoi je dis ça ? Toi, tu le sais, mon fidèle journal. Mais ma sœur, elle, n'est pas au courant de mes démêlés avec la prof d'*engliche*.

– Tu as beaucoup de travail, comme ça ? lui ai-je répondu évasivement.

– Bien sûr ! Dis, peux-tu en faire aussi pour moi, du chocolat chaud ? Avec des guimauves, s'il te plaît.

Cinq minutes plus tard, j'arrivais dans notre chambre en portant un plateau sur lequel se trouvaient 2 tasses de chocolat chaud garni de mini-guimauves + 2 bananes. Assise en tailleur sur son lit, entourée de ses cochons

adorés, Caro potassait déjà sa leçon. Sans daigner lever les yeux de son manuel *English is Fun,* elle a tendu le bras pour saisir sa tasse et m'a dit « Merci Alice ! » avant de continuer à réciter, avec son *perfect english accent* :
– *The Ghost* : le fantôme ; *the Skeleton* : le squelette ; *the Pumpkin* : la citrouille…

Ce soir, en déposant l'assiette de Zoé sur le plateau de sa chaise haute, maman avait du mal à dissimuler son excitation. Sa Prunelle allait goûter pour la première fois à un plat au tofu ! (Gloups !) Zoé, qui a porté un morceau à sa bouche, l'a recraché aussitôt. Caro n'a pu s'empêcher de pouffer de rire. Alors, Zouzou, ravie, a pris un autre morceau caoutchouteux et l'a posé sur ses cheveux.

(Le duvet qui tapissait le crâne de notre bébé chéri a fait place depuis peu à de petits cheveux blonds. Trop mignon !).

– Papeau ! a-t-elle dit, fière d'elle. Chapeau, Zoé ! Tu as dit « chapeau » !

Cette fois, Caro, papa, Zouzou et moi, on a éclaté de rire. La plus jeune membre de la famille Aubry adore amuser la galerie. Cannelle, assise à côté de la chaise haute, guettait l'infortuné carré de tofu, orné d'une lamelle de courgette et d'un filament de fromage fondu. Salivant abondamment, elle était prête à le saisir au vol dès qu'il tomberait. Moumou a dit à sa mini-délinquante :

– Non, non, Prunelle, on ne met pas d'aliments sur sa tête ! La nourriture va dans la bouche.

Zouzou s'est esclaffée à nouveau comme si maman lui avait raconté une bonne blague. Puis, elle a ôté son petit « chapeau » et l'a carrément lancé à notre chienne qui n'en a fait qu'une bouchée.

– Tu veux du ketchup ? a proposé Caroline à notre bébé chéri.

Mais maman n'était pas d'accord et Zoé a boudé son gratin. Pauvre moumou, son projet de bouquin sur le tofu pour les bébés est mal parti…

Quelques minutes plus tard, Astrid Vermeulen s'est levée pour aller se resservir. Elle a proposé :
– *Qui veut encore un peu de gratin ?*
– Non merci, s'est empressé de répondre papa en repoussant son assiette vide. Écoute, Astrid, je déclare un moratoire sur le tofu !
– Ça veut dire quoi ? l'ai-je questionné.
– Cela signifie que je demande à ta mère de ne plus nous concocter de plats à base de tofu pour les trois prochains mois.
– Tu veux dire : « Pour les trois prochains siècles ! », a rectifié Caroline.

– Hé, hé…, a fait maman avec un air coquin. Je reconnais que j'ai un peu exagéré ces derniers temps.

Un peu ? Beaucoup, oui ! Je dirais même : énormément ! Bref, pour être certaine de ne pas retrouver de gratin de tofu aux légumes dans ma boîte à lunch, j'en ai placé une généreuse portion dans un contenant en plastique (pour le repas d'Astrid Vermeulen, demain midi). Et j'ai vidé le restant dans le bol de Cannelle. En moins de 5 secondes, il n'en restait rien. Ma chienne est la seule dans cette maison à apprécier les plats à base de tofu que s'entête à nous mitonner maman. TILT ! Moumou devrait préparer une version de son livre pour les gourmets à quatre pattes. *Tofu toutou* ferait fureur dans les animaleries !

Miam-miam !

Sous la douche, Caroline fredonnait, pour la 99e fois cette semaine :

Je reviens à Montréal
La tête gonflée de nuages…

Une fois en pyjama, elle m'a demandé de l'interroger. Elle savait parfaitement sa leçon d'anglais, à part *the Coffin* : le cercueil. Du coup, elle a voulu que je lui fasse répéter encore 2 x sa liste de vocabulaire d'Halloween. Connaissant ma sœur, elle doit viser une note de 20/20, rien de moins. Pas étonnant, dans ces conditions, qu'elle soit la chouchou *number one* de Pétula Fattal (du moins, pour la classe de 3e A)… À des moments comme celui-ci, je jurerais que Caro est la p'tite sœur d'Éléonore Marquis, alias Miss Parfaite. Je te laisse, cher journal, pour me plonger non pas dans mon manuel d'anglais (fini pour cette semaine! Fiouuu...) mais dans le roman que m'a prêté Marie-Ève, tout à l'heure (le tome 5 de la série *Passion équitation: Il faut sauver Amber!*). «Qui est Amber?», te demandes-tu. Voici ce qui est indiqué sur la couverture arrière du livre:

> Lorsque Kenza arrive au ranch de Laramie pour monter sa jument Sandy, elle ne manque jamais d'aller saluer Amber, qui broute paisiblement dans son champ. Autrefois, cette jument alezane a remporté de nombreux concours hippiques. Mais maintenant qu'elle est vieille et borgne, elle est destinée à l'abattoir. Lorsque Kenza l'apprend, elle est horrifiée. Quoi, il ne reste qu'une semaine à vivre à Amber?! Elle ne mérite pas une si triste fin. L'adolescente, aidée par son fidèle ami Kyle, décide de la sauver. Elle est armée d'une détermination farouche. Malheureusement, le compte à rebours a commencé et des embûches se dressent sur son chemin...

Comme toutes les aventures de Kenza Turner, ça a l'air palpitant.

Jeudi 14 octobre

Ce matin, je me dirigeais vers l'érable lorsque Patrick et Eduardo sont passés devant moi.
– Salut Biquette ! m'a lancé Patrick.
– De quoi tu parles ?! lui a demandé son ami.
– Eddy, je te présente Biquette Aubry. Sa mère l'appelle comme ça.

Oh non... la gaffe maternelle était tombée dans l'oreille de Patrick Drolet ! Qui apparemment avait retrouvé sa verve habituelle.

Ce midi, j'ai croisé ma sœur à la cafétéria. Je lui ai demandé des nouvelles de son test d'anglais.
– On ne l'a pas eu, finalement.
– Ah non, comment ça ?
– Madame Fattal n'est pas là. Elle est malade.
– Qu'est-ce qu'elle a ? lui a demandé Marie-Ève.
– J'en sais rien.

Caroline semblait frustrée de ne pas avoir passé ce contrôle pour lequel elle s'était si bien préparée. À sa place, j'aurais été soulagée. Car manquer un des cours de Crucru était, selon moi, une chance inespérée. En arrivant à la table où mes amis déballaient leur lunch, je leur ai annoncé que la prof d'anglais était absente.
– J'espère que Fatalité ne reviendra pas avant mercredi de la semaine prochaine ! a lancé Patrick. Un petit congé, ça ne nous ferait pas de tort.

– Ne te fais pas trop d'illusions, lui a dit Catherine Frontenac. La prof se dépêchera de guérir pour continuer à nous rendre la vie impossible…

CF a raison, cher journal. Rien que pour ça, je rêve d'être au secondaire ! Je fais le vœu, l'an prochain, d'avoir une chouette prof d'anglais. Et plus jamais un robot à talons aiguilles dont l'objectif principal est de nous prendre en défaut pour nous coller des zéros.

Lorsque mes parents sont rentrés avec Zoé, Caroline écrivait dans son deuxième cahier personnel, le premier étant déjà rempli, apparemment.

– Décidément, tout le monde écrit dans cette maison, a décrété papa. Sauf Zoé, Cannelle et moi.

– Tu devrais t'y mettre, toi aussi, a suggéré Caro. Quel sujet choisirais-tu ?

Après un instant de réflexion, poupou a déclaré :

– Si j'étais meilleur cuisinier, je me lancerais dans l'écriture d'un livre…

– De recettes sur le barbecue ! l'ai-je interrompu.

– Pas bête comme idée, mais ce n'est pas à cela que je pensais. Mon bouquin à moi s'intitulerait *100 recettes sans tofu* !

– Ohhh, chéri, tu es une véritable victime ! a fait maman d'un air comique.

– Au moins, tu le reconnais, mon cœur, a répondu son homme sur le même ton.

(J'adore quand mes parents se parlent avec humour, cher journal !)

21 h 13. Ce soir, je ne pouvais plus arrêter de lire *Il faut sauver Amber!* L'histoire commence un dimanche. Et c'est huit jours plus tard que la vieille jument doit être conduite à l'abattoir, non seulement pour y être tuée, mais aussi, horreur absolue, découpée en quartiers de viande destinés à la boucherie !!! Depuis que Kenza a découvert ce détail atroce, elle est plus déterminée que jamais à sauver son amie Amber. Tout compte fait, cher journal, je préfère que ma mère se passionne pour l'inoffensif tofu que pour la viande de cheval ! Je ne savais même pas que ça se mangeait... J'ai lu dans mon lit jusqu'au moment où papa est venu me souhaiter bonne nuit et a éteint ma lampe de chevet. Mais, une fois la porte fermée, je l'ai rallumée pour t'écrire. Je suis inquiète car, dans le roman, on est déjà mercredi et les choses ne se présentent pas bien du tout pour Kenza (et encore moins pour la pauvre Amber, du coup).

21 h 26. Je venais d'éteindre ma lampe de chevet quand un doute m'a effleurée. Me relevant dans l'obscurité, j'ai enjambé Cannelle allongée au pied de mon lit et j'ai soulevé un coin du store. La lumière dans la chambre en face de la mienne était allumée. Je m'apprêtais à retourner au lit quand elle s'est éteinte. Puis rallumée presque immédiatement. Trente secondes plus tard, elle s'est éteinte à nouveau. Puis rallumée. Tout à coup, ça m'a fichu la trouille, cher journal. J'espère que la maison derrière chez moi n'est pas hantée ! Bref, je me suis précipitée sous la couette. Puis, prenant

mon courage à deux mains, j'ai rallumé une fois de plus ma lampe afin de te décrire cet inquiétant phénomène. Je sens que je ne parviendrai pas à m'endormir tout de suite. J'ai envie de continuer à lire la suite d'*Il faut sauver Amber!* Oupsie, les marches de l'escalier craquent ! (Non, non, n'aie crainte, mon bon journal, le 42, rue Isidore-Bottine n'est pas habité par des fantômes, lui ! Ce sont simplement mes parents qui montent se coucher.) Je vais éteindre ma lampe pour qu'ils n'aperçoivent pas de rai de lumière sous ma porte.

Vendredi 15 octobre

7 h 38. Cher journal, j'ai avalé mes céréales à une vitesse supersonique pour pouvoir t'écrire avant de partir à l'école. Donc, hier soir tard, j'ai lu sous la couette à la lueur de ma lampe de poche. Je ne me rappelle même pas m'être endormie ! Je me suis réveillée ce matin, ma lampe de poche (dont les piles étaient à plat parce que je ne l'avais pas éteinte) et le bouquin à côté de moi. J'ai vérifié : je suis arrivée à la page 144. Et il y en a 192 en tout. Dans l'histoire, il reste moins de 48 heures pour tirer Amber du danger… Je ne veux pas qu'elle meure ! Le fait qu'elle ait déjà 27 ans (un cheval vit en moyenne de 25 à 30 ans) et qu'elle soit presque aveugle ne sont pas des raisons suffisantes pour la transformer en steaks ! Cependant, son propriétaire, Mr Harrison, n'a aucune pitié. Non seulement il a enfermé sa jument dans la grange, mais il a

aussi menacé Kenza et Kyle. S'il les surprend encore une fois à rôder dans les parages, il lâchera son chien à leurs trousses. Et pas n'importe quel chien. Un redoutable molosse. Quel suspense !

Bon, Caroline s'impatiente. Du bas de l'escalier, elle a crié que si je n'arrivais pas immédiatement, elle partirait sans moi à l'école. À +, cher journal.

16 h 03. Ce matin, donc, tandis qu'on montait en classe, Patrick m'a demandé :
– Et alors, Biquette, comment ça va ?
– Arrête de m'appeler Biquette ! ai-je protesté en levant les yeux au ciel.

À la récré, Catherine Provencher a tendu à la ronde un sac contenant des petits biscuits couverts de glaçage blanc.
– Goûtez-moi ça ! Ce sont de nouveaux biscuits à la vanille. Trop bons !

Tout le monde en a pris un sauf Violette qui croquait une pomme.
– Tu n'en as pas envie ? lui a demandé Catherine P.
– Ils ont l'air délicieux, a reconnu Violette. Mais comme ils ne se trouvent pas dans leur emballage d'origine, je ne peux pas en manger.
– Voyons, Catherine ne t'aurait jamais offert des biscuits aux noix ou aux arachides ! lui a assuré Catherine F. Fais-lui confiance. Tu n'es quand même pas allergique à la vanille, en plus ?!

– J'avais compris, a répondu Violette. Non, je n'ai pas d'allergie à la vanille. Cependant, rien ne me garantit que ces biscuits ne contiennent pas des arachides, des noix ou du soya ou qu'ils n'ont pas été en contact avec ces ingrédients. En l'absence d'étiquette, je ne dois prendre aucun risque.

CF a levé les yeux au ciel. Moi, j'ai trouvé qu'elle s'était montrée BING ! BANG ! BOUM ! avec Violette. Ça ne doit déjà pas être évident de vivre avec des allergies alimentaires. Mais, en plus, si d'autres s'en mêlent en donnant des conseils alors qu'ils n'y connaissent rien, ça n'aide pas.

Reprenant un biscuit, Audrey m'a demandé :

– À propos, Alice, pourquoi Patrick t'appelle-t-il Biquette ?

Ça y est : le PIRE scénario que j'avais imaginé était en train de se réaliser : toute l'école serait bientôt au courant... Résignée, je lui ai raconté l'affaire, ou plutôt, je leur ai raconté l'affaire, car mes amies étaient toutes là ainsi que Simon + Bohu.

Lorsque j'ai eu fini, Africa m'a dit :

– Biquette, ça va encore. Imagine que ma mère, elle, m'appelle Pulchérie !

– Nooon !

– Eh oui. Mais seulement quand on est toutes les deux.

« Au moins, les dégâts sont limités... », ai-je pensé.

– Moi, c'est *Sweetie Pie*, a déclaré Audrey.

– Ça, c'est *cute* ! s'est exclamée Kelly-Ann.

– Vous pouvez vous considérer heureuses que votre mère ne vous appelle que d'un seul petit nom, a dit Jade. Car la mienne en utilise une dizaine.

– Comme quoi, par exemple ?!
– Elle m'appelle « ma chouette »...
– Ma mère aussi me surnomme comme ça, l'a interrompue Marie-Ève.
– Mais ce n'est pas tout, a repris Jade. Il y a aussi Pépinette, Pitchounette, Sécotine, Poussinette. Ou alors mon p'tit cœur, Douceur d'amour, Jadou-Love et Kiki-Doucette. Sans compter les fois où elle me donne mon nom chinois, Jia Li. Et j'allais oublier Pupuce !
– Moi, c'est mon père qui m'appelle Puce, ai-je expliqué.
– Et moi, je suis le p'tit Loup de ma mère, a avoué Simon en riant.
– Oh, trop mignon ! a lancé Marie-Ève, en jetant un regard tendre à son amoureux.

Catherine Provencher a pris la parole :
– Quand j'étais bébé, maman m'appelait Petite Boulette. Après, il y a eu : mon petit gigot d'agneau, mon petit cœur de beurre, ma choucroute adorée. Et ma crevette rose ! J'ai beau lui rappeler que sa crevette a grandi, on dirait que c'est plus fort qu'elle, elle ne peut pas s'en empêcher...
– Et toi ? a demandé Africa à Emma qui mangeait une banane.
– Selon les jours, mon père m'appelle Amibe ou Paramécie.
– Ce sont des noms qu'il a inventés ?!!!
– Pas du tout, il s'agit de cellules. Mon père est chercheur en biologie à l'université.

Cette fois, cher journal, je sens que je n'aurai aucune difficulté à établir une liste de 10 points positifs.

1. Je peux m'estimer contente que maman ne me donne qu'un seul surnom et non 350, comme la pauvre Jade.

2. J'ai de la chance qu'elle se limite à deux ou trois « Biquette » par jour.

3. Heureusement qu'elle ne m'appelle pas Tofu d'amour ! Car elle en serait parfaitement capable. Ni Soya de mon cœur, d'ailleurs. Fiouuu…

4. Comme la mère de CP, la mienne affuble aussi sa progéniture de surnoms alimentaires. Mais à choisir, je préfère de loin Biquette à Crevette rose (ça, c'est le comble du ridicule).

5. Le fromage de chèvre est produit avec le lait des biquettes. Or, c'est mon fromage préféré.

6. Autant porter le nom d'un mammifère attachant plutôt que celui d'une cellule informe, comme Emma.

7. J'apprécie le fait que Caroline m'appelle toujours Alice.

8. J'ai la chance d'avoir des amis merveilleux qui, au lieu de rire de moi, m'ont fait réaliser que je suis loin d'être la seule victime des débordements d'amour maternel ou paternel. Qui sont ces amis ? Chouette Poirier-Letendre, Pulchérie Seydi, Choucroute adorée Provencher, *Sweetie Pie* Yeretsian, P'tit Loup Hétu-Ouellette, Amibe Shapiro, etc.

9. Au moins, moumou ne s'amuse pas à inventer des variations à Biquette, du style : Biquounette, Biquettine, Biquettinette, Biscocotte, Bibique, Bikini… Fiou… Devant ces dangers auxquels j'ai miraculeusement échappé, je me sens ragaillardie. Biquette est un moindre mal, finalement.

10. … Tout à coup, je bloque. Bon, 9 points +, c'est déjà bien.

Puis la cloche a sonné. S'adressant à Gigi Foster qui venait de nous rejoindre, Catherine Provencher lui a demandé :
– Elle t'appelle comment, ta mère ?
– Ben, Gigi.
– Tu n'as aucun surnom ?
– Gigi est déjà un surnom.
On l'a tous dévisagée.
– Comment ça ? l'a questionnée Bohu, tu as un *autre* nom ?!

– Oh, seulement sur mon acte de naissance. Mais mes parents m'ont toujours appelée Gigi. Et je préfère ça. Car je déteste mon prénom.

– Et c'est quoi, ton prénom officiel?
– Ginette.

Hein, Ginette!!! Comme Ginette Delorme, mon éducatrice préférée à la garderie, quand j'avais 4 ans! Ginette Foster. JJF avait raison, ce nom ne lui va pas du tout. J'étais déçue. Avant, je ne connaissais qu'une Ginette que j'adorais. Mais maintenant que j'avais appris que ce prénom était aussi celui de mon ennemie publique nº 1, il perdait forcément de sa magie. Ginette Foster: je n'en reviens toujours pas, cher journal.

– Mais ne le dites à personne, a demandé la fameuse Ginette.

Puis, s'avisant que j'étais là, elle m'a lancé:
– Et toi, si jamais tu ébruites la nouvelle, tu auras affaire à moi!
– Calme-toi, Gigi! lui a intimé Africa. Bien entendu qu'on ne dira rien. Ni Alice ni personne d'entre nous. Motus et bouche cousue.

Cet après-midi, pendant la leçon de grammaire, Jonathan a bondi sur ses pieds (sans faire culbuter sa chaise, fiouuu…).
– L'exercice est trop difficile!
– J'arrive, lui a dit madame Robinson.

Joey s'est rassis. Mais à l'instant où la prof se penchait vers lui pour lui fournir des explications, il a brusquement relevé la tête et BANG!, ils se sont cognés. Leurs lunettes pendaient de travers. D'un air excédé, la prof a replacé les

siennes sur son nez. Puis elle s'est massé le front. Regagnant son bureau à grands pas, elle a marmonné entre ses dents :
– Ça ne peut plus durer !
– Je fais quoi, alors, si j'comprends rien…, a demandé Jonathan, penaud.

La prof lui a répondu sèchement :
– Tu relis attentivement l'énoncé de l'exercice et tu fais de ton mieux.

Joey a essayé de s'appliquer mais 10 secondes plus tard, il a sorti une bouteille de jus de son sac. En voulant l'ouvrir, elle s'est renversée. Le liquide rouge qui a inondé son pupitre s'est écoulé sur le sol.
– Du sang ! Au secours !!! a ricané Patrick.

Pour madame Robinson, c'était la goutte qui a fait déborder le vase. Elle s'est fâchée. Pas aussi rouge que la monture de ses lunettes (ou que le jus de canneberge), mais quand même.
– Vous avez l'autorisation de manger votre collation en classe si vous avez faim, mais tu sais très bien, Jonathan Vadeboncœur, qu'il est interdit de boire pendant les cours ! Va chercher du papier aux toilettes pour éponger ton dégât. Et ensuite, mets-toi au travail une bonne fois pour toutes ! Je ne sais pas comment…

Elle s'est arrêtée au beau milieu de sa phrase. Du coup, on n'a jamais su ce qu'elle ne savait pas.

Après avoir nettoyé son pupitre, Joey a déclaré :
– Impossible d'écrire sur du papier mouillé.

L'enseignante a soupiré.
– Va t'installer dans le coin lecture !
– Je déteste lire, madame.
– Tu n'es pas obligé de prendre un livre, mais je veux que tu te taises et que tu laisses les autres travailler ! Bon !

En descendant l'escalier, Africa a déclaré :
– La prof n'a vraiment pas le tour avec Jonathan. Elle est trop sévère.

Mais Kelly-Ann ne l'entendait pas de cette oreille.
– Je ne suis pas d'accord avec toi, Afri ! Je trouve au contraire que madame Robinson s'est montrée très patiente avec ce gars qui ne tient pas en place. Mais, si on veut arriver à se concentrer, elle est bien obligée de faire de la discipline.
– Monsieur Gauthier n'a jamais élevé la voix, lui. Il savait comment s'y prendre. Du coup, Joey était plus attentif et avait de meilleures notes.
– Toi et ton monsieur Gauthier !
– Toi et ta madame Robinson !

Pas étonnant que Kelly-Ann prenne le parti de notre enseignante. Elle qui se trouvait déjà dans sa classe de 5e A estime qu'elle a beaucoup de chance de l'avoir encore cette année.
– Pauvre Joey, a poursuivi Africa. Si la prof continue de lui tomber dessus à la moindre occasion, il risque de décrocher.

– Moi, c'est notre enseignante que je plains ! Encore heureux que ses lunettes aient résisté au choc, tout à l'heure.

Kelly-Ann et Africa sont amies depuis la garderie, cher journal. Mais c'est la première année où, à l'école, elles se retrouvent dans la même classe. Elles sont vraiment complices. Ce qui ne les empêche pas de s'obstiner de temps à autre. Surtout par plaisir, je crois. Un peu comme si elles faisaient de l'escrime. Mais deux minutes plus tard, c'est déjà fini et elles redeviennent les meilleures amies du monde. À part ça, je suis d'accord avec Afri. Pauvre Joey, comme il doit regretter l'année bénie passée dans la classe de monsieur Gauthier…

Jonathan l'ouragan
Tape sur les nerfs des enseignants
Il est bruyant, turbulent
Pourtant, il ne cherche ni à se rendre intéressant
Ni à embêter les gens.

Il nous bouscule, notre Joey
On ne peut plus compter
Les fois où il nous a poussés
Et marché sur les pieds
Mais il ne le fait jamais exprès.

Il est vif
Et impulsif
Il fonce
Pour donner ses réponses
Et se trompe 9 fois sur 11

À la récré, il passe son temps à se bagarrer
Avec Antoine Gaudet
Qui s'amuse à le provoquer :
« T'as pas oublié ton Ritalin ? »
De quoi il se mêle ? C'est pas malin !

Après s'être empoignés
Leurs cheveux sont emmêlés
Les lunettes de Joey sont cassées
Ou plutôt « nazes », comme il dirait.
Et tout ça finit dans le bureau de monsieur Rivet.

Notre Joey aussi a des qualités
Sa collation, il la partage volontiers
De personne, il ne s'est jamais moqué
Et si on le lui demandait
Il ferait ce qu'il peut pour nous aider.

Ce matador adore le sport
En orthographe, il fait des efforts
Il écoutait monsieur Gauthier
nous parler des météores
Et de la vie des alligators
Lui aussi mérite une médaille d'or!

Joey est le **shpoutz** de madame Robinson
Mais il y aura des répercussions
Dont un risque d'abandon
Car il n'étudiera plus ses leçons
Et toujours il dira: « Non! »

Jonathan se prend peut-être pour Tarzan
C'est un volcan bouillonnant
Mais dans le fond, il est charmant
Je dirais même plus, il est épatant
Et nous, on l'aime tant!

Là, je me suis laissé emporter par les rimes et la défense du mal-aimé de notre enseignante! Heureusement, personne ne lira jamais ce poème enflammé. Et quel soulagement, surtout, que je ne doive pas le réciter devant la classe. Horreur absolue! On croirait que je suis amoureuse de Jonathan Vadeboncœur!!! Mais toi, tu le sais, cher journal, que ce n'est pas vrai. Bon, papa m'appelle pour mettre la table. On va souper puis ensuite, on partira pour Covey Hill. Je te glisse dans mon sac de voyage.

21 h 15. On est arrivés chez les grands-parents en même temps qu'oncle Alex ! J'adore retrouver notre chambre bleue sous les combles. Après avoir pris une douche, je me suis mise en pyjama. À pas de loup, pour ne pas réveiller Zoé qui dort déjà dans son lit à barreaux avec sa chenille-musicale-devenue-muette, j'ai placé à terre les 2 matelas de camping et les 2 sacs de couchage que m'a passés grand-papa. C'est à mon tour et à celui de Caroline d'y dormir. Mes cousins occuperont les lits. En parlant d'eux, les voilà ! En effet, il y a du remue-ménage en bas. Je te laisse, cher journal !

Ginette la biquette ???

Samedi 16 octobre

Cette nuit, je me trouvais dans la cour d'école. Patrick s'est approché en rigolant. Je croyais que c'était de moi qu'il se moquait. Mais non, il a désigné quelqu'un à mes côtés. Gigi Foster ! Et il s'est mis à chantonner :

– Ginette la biquette ! Ginette la biquette !

Perturbée, j'ai pensé : « Mais c'est pas Ginette, la biquette, c'est moi ! » Pas étonnant, finalement, que j'aie fait ce rêve… On a tellement parlé de ça, hier, que mon cerveau est un peu mêlé.

Ce matin, après le déjeuner, on s'affairait à préparer le pique-nique quand grand-papa a suggéré à mes parents :
– Allez-y. Avec le passeport belge d'Astrid, il y aura un petit délai aux douanes. Nous, on finit d'emballer les sandwiches. D'ici un quart d'heure, on devrait être partis, nous aussi. Rendez-vous dans le stationnement de la montagne Silver Lake.

Au moment où elle sortait, Caroline a dit :
– Grand-maman, tu n'oublieras pas la bouteille de ketchup ?
– Elle se trouve déjà dans le panier, mon trésor !

Une fois dans la fourgonnette, ma sœur a demandé pour quelle raison on devait partir plus tôt pour passer la douane.
– Parce que nous avons tous un passeport canadien sauf votre maman, a expliqué papa. Tes sœurs et toi, vous possédez également une carte d'identité belge. Mais pour se rendre aux États-Unis, c'est le passeport canadien qu'on montre. Astrid n'ayant que son passeport belge, ça complique les choses.
– Tu exagères, Marc, a répliqué maman. Il s'agit d'une simple formalité qui ne prendra que quelques minutes, le temps de remplir un formulaire et de payer 6 $ américains.
– Tu ne peux pas avoir de passeport canadien ? a voulu savoir Caro.
– Oui, j'ai le droit de détenir les deux nationalités. Il faudrait un jour que je fasse ma demande de citoyenneté canadienne.

À la frontière américaine, papa a tendu nos cinq passeports au douanier. Il a dit (en anglais) que sa conjointe était belge. Du coup, le douanier lui a demandé de stationner la fourgonnette pour régler le cas de maman à l'intérieur du bâtiment. Après être descendus du véhicule, nous sommes donc tous entrés dans un petit local. Derrière un bureau, un autre douanier, très costaud, a examiné le passeport de ma mère avant de le glisser devant une machine. Relevant brusquement la tête, il a dévisagé maman d'une tout autre façon. Trente secondes plus tôt, il la traitait poliment. Tandis que là, il lui a lancé un regard à la fois incrédule et un peu effrayé, comme s'il avait devant lui une dangereuse terroriste ou une espionne à la solde d'un pays ennemi. Bref, l'ennemie publique nº 1 des États-Unis. Aïe. J'ai senti que notre passage au bureau des douanes ne serait pas une simple formalité, comme l'avait prétendu moumou.

– Quand êtes-vous entrée aux États-Unis pour la dernière fois ? lui a demandé le douanier.

– Euh, c'était il y a trois ans, pour un week-end à Lake Placid avec ma famille. Ou plutôt non, mon dernier voyage aux États-Unis date d'il y a deux ans. J'ai participé à un congrès de diététique à Boston.

– Et votre *green card*, l'avez-vous remise à la douane en quittant le pays ?

– Quelle carte verte ? a fait maman.

Aïe, aïe, aïe. D'après l'ordinateur, ma mère est bel et bien entrée il y a deux ans aux États-Unis mais n'en est jamais ressortie. Le ministère de la Sécurité intérieure des États-

Unis a perdu sa trace. Gloups. J'imaginais des centaines de policiers lancés aux trousses de moumou qui s'était soi-disant volatilisée sur le territoire américain… Pendant qu'elle, elle cuisinait des kilos et des kilos de tofu dans sa cuisine de la rue Isidore-Bottine, à 70 km de la frontière.

Le douanier a continué à interroger ma mère.
– Vous êtes bien Astrid Vermeulen ?
– Oui. Mais je vous assure que je n'ai pas passé les deux dernières années aux États-Unis. J'ai séjourné quatre jours à Boston. Puis je suis retournée chez moi, à Montréal.
– Désolé, mais vous êtes considérée comme une immigrée clandestine.

Papa et moi, on s'est regardés et on a soupiré en même temps. Encore une distraction de notre Astrid nationale ! Mais cette fois, c'était du sérieux. On n'était pas sortis de l'auberge. Ou plutôt, de la douane. Allait-on arrêter ma petite maman, la flanquer en prison ? Quel cauchemar.

Les deux collègues du douanier costaud, un grand maigre et un autre avec des cheveux roux coupés en brosse, ne quittaient pas la suspecte des yeux. Caroline, qui a un rhume, n'arrêtait pas de renifler. Tout à coup, j'ai eu peur que maman ne glisse sa main dans la poche de son chandail à la recherche d'un mouchoir en papier. Les hommes auraient peut-être pensé qu'elle se saisissait d'une arme. Dégainant leurs revolvers, ils auraient alors tiré à bout portant sur ma pauvre moumou ! Bref, je n'étais pas rassurée, cher journal.

Astrid Vermeulen (alias moumou), hors-la-loi ?!
Incroyable mais vrai !

Pendant ce temps, le robuste douanier continuait son interrogatoire. Dans les bras de papa, Zoé s'impatientait. Mon père a lâché :

– Astrid, tu es vraiment un cas à part !

– J'apprécierais au moins que tu me soutiennes, Marc, a répondu maman.

Ah non, nos parents n'allaient pas se disputer ! La situation était déjà suffisamment tendue comme ça. Entre deux reniflements, Caroline a déclaré :

– On devrait se dépêcher sinon les autres vont nous attendre.

Maman l'a fait taire. Mais une minute plus tard, ma sœur a eu le culot de s'adresser au douanier, en anglais :

– *Why is it so long, sir?*

Toujours aussi sérieux, celui-ci lui a répondu (en anglais également) :

– Parce que c'est la première fois que nous avons un cas comme celui-là.

Soupir. Mon paternel a raison : Astrid Vermeulen est un cas, cher journal !

Le téléphone de mon père a sonné. C'était oncle Étienne. Lui et les autres se demandaient où on était… Papa est sorti avec Caroline et Zoé. Ne voulant pas abandonner maman, je suis restée à ses côtés. Dire qu'on était censés passer une journée radieuse dans la nature… À la place, on était bloqués à la frontière et l'heure du pique-nique me semblait désespérément loin.

Après avoir posé un million de questions à ma mère, le douanier costaud lui a annoncé qu'il allait prendre ses empreintes digitales. Hein, comme pour les bandits ! Pour ça, elle devait commencer par frotter ses pouces le long de son nez. Moumou a eu l'air étonnée. Puis elle s'est exécutée.

– Tu fais quoi, là ? a demandé Caroline, qui venait de rentrer pour voir où on en était.

Je n'ai pu m'empêcher de pouffer de rire.

– Alice, tu te calmes, m'a grondée maman. Sinon tu sors.

Le douanier lui a ordonné de poser ses pouces sur un petit appareil. Puis, il lui a redemandé de frotter encore les ailes de son nez. Puis, de reposer ses pouces sur l'appareil. Et d'appuyer plus fort. Ce petit manège terminé, il a pris maman en photo. De face et de profil. Exactement comme pour les criminels. Je me croyais dans un film.

À l'extérieur du bâtiment, j'entendais Zoé qui piquait une crise. Caroline mourait de faim. Moi aussi, d'ailleurs. Alors qu'on n'osait plus l'espérer, le douanier costaud a déclaré à maman :

– Tout est en ordre, maintenant. Normalement, vous ne devriez plus avoir de problème la prochaine fois que vous voudrez entrer aux États-Unis. Mais en revenant au Canada, n'oubliez pas de remettre votre *green card*.

On a repris la route. Caro et moi avons interrogé nos parents. C'est ainsi que j'ai pu reconstituer les dialogues que je viens de te raconter, cher journal, qui s'étaient déroulés pour la plupart en anglais. On a retrouvé le reste de la famille qui poireautait depuis plus d'une heure à notre point de rencontre. À cause de notre retard, on a déballé le pique-nique dans le stationnement plutôt qu'au sommet. Pendant que la montagne de sandwiches fondait comme neige au soleil, les autres nous ont bombardés de questions sur notre mésaventure. Olivier regrettait d'avoir « raté » ça. Je lui aurais volontiers donné ma place…

– Tante Astrid, pourquoi, avant d'enregistrer tes empreintes digitales, le douanier t'a-t-il demandé de frotter tes pouces sur ton nez ? s'est informé Félix.

– J'imagine qu'il fallait que les pouces soient un peu gras pour que les empreintes soient bien lisibles par leur appareil.

– Mais t'as pas le nez gras, maman ! a protesté Caro.

– Heureusement, non. C'est pour ça que le douanier m'a demandé de recommencer à frotter mes pouces avant que, finalement, ça fonctionne…

Imaginant la scène, toute la famille s'est mise à rire de bon cœur !

(Cher journal, quelle chance que, devant le douanier, moumou n'a pas accroché « par erreur » son pouce sous ses narines, comme la fois où elle a fait un pied de nez à Cruella !!! Fiouuu…)

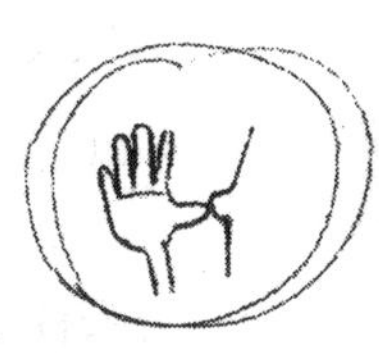

Il ne restait plus une seule miette de sandwiches, plus de concombre ni de radis. Tante Sophie a déclaré qu'on mangerait le dessert en haut de la montagne. Oncle Alex a offert de transporter Zoé dans son porte-bébé (notre Zouzou chérie était ravie). Le sentier a commencé à monter dans la forêt. Puis, on a grimpé sur de grandes plaques rocheuses. Par bonheur, je n'ai pas le vertige, cher journal, car il y avait des vues très plongeantes. Une fois sur la crête de la montagne, quel panorama ! Oncle Alex nous a montré le lac Silver, l'étang Taylor et les montagnes Whiteface et Catamount. Tous ces arbres rouges, orange et jaunes ! Quels merveilleux coloris d'automne !

– La prochaine fois, on devrait aller marcher au lac Alice, a proposé grand-papa.

– Hein, il y a un lac qui porte ton nom ?! m'a dit Caro, impressionnée.

– Au moins deux lacs, car près de Val-Morin, dans les Laurentides, il y a un autre lac Alice, a déclaré oncle Étienne.

Pendant que grand-maman apportait à son petit-fils un gâteau au chocolat avec 13 bougies qu'elle venait d'allumer, on a entonné : « Bonne fête Olivier, bonne fête Olivier... » Oncle Alex a pris plein de photos et moi aussi, j'en ai prise une de lui.

Le soleil déclinait à l'horizon quand on est redescendus au stationnement. En arrivant au poste de douane américain, papa a arrêté la fourgonnette. Sortant le bras par la fenêtre, maman a tendu son carton vert à la douanière. Dès que papa a redémarré, moumou s'est mise à chanter :

Je reviens à Montréal
La tête gonflée de nuages
C'est le transit d'Amsterdam
Qui s'est chargé du glaçage

Je reviens à Montréal
Le corps tatoué de visages
Des anges dandys au dense plumage
Ont mis en lumière mon passage...

Caroline, ravie, a repris le refrain avec elle :
Le soleil inonde le terminal
Et le dub fait danser mes scandales
En format original
Je rentre à Montréal...

Fiouuu, ma mère n'était plus une immigrée illégale en cavale. Elle redevenait une diététiste passionnée (des fois un peu trop) et une bonne mère de famille belge et résidente canadienne.

Quelques minutes plus tard, on était de retour chez mes grands-parents. C'est Cannelle qui nous a fait une de ces fêtes en arrivant !

Dimanche 17 octobre

20 h 43. Il n'y a pas qu'Ariane Moffatt qui est rentrée à Montréal, cher journal. Nous aussi, il y a une heure. Caroline ronfle au milieu de Nouf-Nouf et compagnie. Lorsque le premier grondement a retenti, Cannelle, qui somnolait au bout de mon lit pendant que je lisais, s'est réveillée en sursaut. Poussant un WOUF alarmé, elle a

foncé vers Caro d'un air affairé. À mon avis, elle pensait que ma sœur était en danger et qu'il fallait la sauver. Repoussant la chienne qui avait les deux pattes sur son lit (et sur ses cochons, quel sacrilège !) et la truffe collée contre son nez, Caro a manifesté son mécontentement.

– Pousse-toi de là, Cannelle ! a-t-elle ronchonné avant de se retourner dans son lit et de se couvrir la tête de sa couette d'un geste brusque.

Après être allée chercher ma chienne, je lui ai murmuré à l'oreille :

– Chuuut... Ce ne sont pas les cochons qui grognent mais Caroline qui ronfle à cause de son nez bouché. À part ça, tout va bien, et elle veut dormir. Rendors-toi, toi aussi, ma belle. Moi, je vais écrire quelques minutes à mon bureau.

Cannelle a murmuré un discret « mwouf » qui signifiait : « D'accord, Alice ! », avant de se recoucher, cette fois au pied de ma chaise, rassurée.

En fait, cher journal, je voulais surtout te raconter notre journée à Covey Hill. Elle a été plus paisible que celle d'hier. On s'est rendus à Franklin, dans une ferme, chez des amis de mes grands-parents. On y a acheté trois citrouilles et plusieurs courges. Ces cucurbitacées (madame Robinson nous a appris ce mot rigolo vendredi) serviront à décorer le perron de notre maison. Et, après l'Halloween, elles passeront à la casserole. Car chaque année, maman recycle le tout en soupes, tartes, muffins, etc. Heureusement qu'elle n'a encore jamais pensé à nous concocter une recette citrouille-tofu… mais chuuuut, cher journal… il ne faut surtout pas lui donner de mauvaises idées! Bercée par les ronflements de ma sœur qui ont repris de plus belle, je vais essayer de m'endormir, moi aussi. Bonne nuit!

Mes cousins et moi

Oncle Alex

Lundi 18 octobre

Ce matin, papa a signalé qu'il était temps de sortir nos habits de neige. Caro était contente de parader dans le sien (mon ancienne tenue bleu pâle). Moi, j'ai protesté :
– Pfff, pas déjà... Regarde, il fait soleil.

Puis, comme mon père a déclaré que le thermomètre indiquait à peine 3 degrés et qu'avec le facteur de refroidissement du vent, on aurait l'impression, dehors, qu'il faisait –10, j'ai enfilé ma doudoune argentée neuve et le pantalon assorti. Et tant que j'y étais, j'ai glissé mes pieds dans mes Moon Boots flambant neuves, argentées elles aussi.
– Tu es TROP cool ! s'est enthousiasmée Caroline. Tu en as de la chance ! Mais moi aussi, car lorsque ton habit de neige sera trop petit pour toi, il m'ira parfaitement.

Ma sœur est super écolo, cher journal. Ça ne la dérange jamais d'hériter de mes vieux vêtements. Au contraire, elle adore ça ! Et moi, c'est elle que j'adore.

Papa avait raison. Dehors, un vent glacial sifflait à mes oreilles. J'ai remonté mon capuchon. En arrivant dans la cour, j'ai croisé Gigi Foster et Chloé Miville-Deschênes. D'habitude, elles ne me disent jamais bonjour (ce qui ne t'étonnera pas, cher journal). Mais, là, après avoir posé sur moi un regard méprisant, JJF m'a demandé :

– Comme ça, tu te déguiseras en astronaute pour l'Halloween ?
– Pas du tout ! Qui t'a dit un truc pareil ?!
– Personne.

Désignant mon ensemble d'hiver dont le capuchon capitonné m'enveloppait la tête, Gigi Foster a poursuivi :
– Quand j'ai vu ta tenue spatiale métallisée, j'ai pensé que tu inaugurais ton costume d'Halloween.

Chloé a pouffé de rire. Moi j'ai fait :
– Hin, hin, hin, c'est pas malin !
– Au contraire, a répliqué la blonde Chloé d'un ton sarcastique. Remercie Gigi ! Grâce à elle, pas besoin de te casser la tête pour trouver une idée de déguisement, Alice. Le 31 octobre, tu n'auras qu'à mettre ton habit de neige et tes bottes et tu feras fureur ! Les petits garçons réclameront un costume identique à leurs parents pour l'an prochain !
– Autre avantage de ta tenue digne de *Cap sur la Voie lactée* et d'*Astéroïde (4055) Magellan*, a repris Gigi Foster, avec elle, tu n'es plus maigrichonne mais ronde comme une boule de neige !

Tournant le dos à ces deux pestes, je me suis éloignée à la vitesse grand V pour échapper à leurs remarques vexantes. S'il y a bien une chose que je déteste, cher journal, c'est qu'on s'amuse à mes dépens. Cependant, jetant un coup d'œil dépité à mon accoutrement, j'ai reconnu que mon ennemie publique n° 1 n'avait pas entièrement tort. En effet, lorsque j'avais essayé mon habit de neige dans le magasin, il m'avait paru d'un bel argenté.

Mais, sous le soleil, il scintillait presque autant que du papier aluminium... Bien sûr, maman avait insisté pour que je prenne une taille au-dessus, alors ce serait encore mon manteau d'hiver en 1re secondaire... Pfff... Et mes bottes dont j'étais si fière... C'est vrai qu'accoutrée ainsi, j'avais l'air d'être prête à débarquer sur la lune.

Il y avait tellement de vent que les feuilles de notre érable se détachaient par dizaines. Elles tournoyaient avant de tomber aux pieds de Marie-Ève qui grelottait. Malgré les conseils de sa mère l'enjoignant de revêtir son habit de neige, elle avait tenu à porter sa veste en laine et sa longue écharpe blanche. Et maintenant, assaillie par le froid mordant, elle le regrettait amèrement.

– J'aime ton nouvel ensemble de neige, Alice. Il a l'air tellement douillet !

– C'est vrai qu'il est super confo, ai-je reconnu. Mais lorsque je l'ai acheté, j'ai hésité entre lui et un autre. Je regrette de ne pas avoir choisi le vert et blanc. Tu ne trouves pas que celui-ci me donne un look d'astronaute ?

– D'astronaute ?! Où donc vas-tu chercher une idée pareille, Alice ?!

– C'est ce que Gigi Foster a insinué.

– Si tu commences à croire les niaiseries de cette fille, tu n'en finiras pas de te ronger les sangs. Moi, je trouve ton habit de neige vraiment original.

Ah ça, pour être original, il l'était… Et puis, zut pour JJF ! Son avis compte moins que celui de ma sœur (qui rêve déjà du jour où elle héritera de mon ensemble argenté) et de ma meilleure amie (qui est toujours sincère). Ouvrant mon sac d'école, je lui ai rendu *Il faut sauver Amber !*

– Merci Marie-Ève. Ce 5e tome m'a tenu en haleine jusqu'à la dernière page ! La crise cardiaque de Mr Harrison, le méchant propriétaire d'Amber, est survenue à point le dimanche matin !
– Oh oui ! a renchéri mon amie. Il a eu de la chance que Kenza et Kyle l'aient vu tomber devant sa maison et aient appelé les secours. Ils lui ont sauvé la vie !
– Et quel soulagement pour Kenza quand le shérif a décidé d'adopter Amber et de lui offrir une retraite bien méritée ! Comme il habite à côté du ranch, Kenza pourra continuer à voir la vieille jument.

Marie-Ève a esquissé un sourire.
– Tu vas finir par aimer l'équitation, Alice !
– En tout cas, ces livres me font adorer les chevaux. Pourrais-tu me prêter le tome 6 de la série, s'il te plaît ?
– Avec plaisir, et le 7 également. Ma cousine Salomé, qui les lit elle aussi, me les a rendus samedi.
– Merci, Marie-Ève ! Je ne savais même pas qu'il y avait un tome 7.
– Papa me l'a offert cet été.

– Ma mère m'a dit que le 8e devrait sortir sous peu, a ajouté Violette qui nous avait rejointes sous l'érable. J'ai un scoop, il s'appellera : *Des hennissements dans la nuit.*

(Cher journal, je te rappelle que les parents de notre nouvelle amie sont libraires, alors elle est bien informée !)

Changeant de sujet, Violette nous a appris une 2e nouvelle en primeur (elle la tenait de son frère qui est en 4e) : Crucru était toujours absente et on ne savait pas quand elle serait de retour. ☺☺☺ Monsieur Rivet leur avait annoncé qu'en attendant, ils auraient une remplaçante. (Et nous aussi, forcément.) Les suppositions sur la mystérieuse maladie de Crucru allaient bon train :

– Elle a peut-être une sinusite ? (Suggestion de Catherine Provencher, fille de pharmacienne.)

– Ou un problème de peau : j'imagine Fatalité couverte de boutons ! (Suggestion de Kelly-Ann, qui aimerait devenir médecin.)

Pour sa part, Catherine Frontenac a dit :

– Elle a sans doute fini par se tordre la cheville. Car porter des chaussures à talons aiguilles quand on a déjà subi une chirurgie à la jambe n'est sûrement pas une bonne idée.

À la fin des cours, j'attendais ma sœur dans le hall d'entrée lorsque j'ai entendu madame Hamel s'adresser au directeur :

– Monsieur Rivet, avez-vous des nouvelles de Pétula Fattal ?

Le directeur a répondu sur un ton très bas. Mais comme j'avais tendu l'oreille, j'ai compris la fin de sa phrase :

– … souffre d'un *burnout.*

– Oh, la pauvre…, a compati la prof de 5e B.

Un des collègues de mon père a eu un *burnout*, cher journal. Et il n'est pas revenu au bureau avant plusieurs mois. Un espoir insensé a germé dans mon cerveau : que Cruella reste absente jusqu'à sa retraite !

– Pourquoi souris-tu toute seule ? m'a questionné Caroline en surgissant devant moi.

– Oh… parce que, parce que j'ai passé une bonne journée.

Je n'allais quand même pas dire la vérité à ma sœur, elle qui voue une admiration sans borne à la prof d'anglais et qui a suuuuper hâte qu'elle soit de retour. Elle m'aurait considérée comme une sans-cœur.

Caro se trouvait à l'ordi quand papa a appelé : « À table ! »

– J'arriiive ! nous a-t-elle crié du bureau.

En nous rejoignant, elle a demandé :

– Un jour, on ira voir le lac Caroline ?

– Le lac Alice, tu veux dire ? a répondu papa. Celui dont parlait grand-papa ?

– Non, le lac Caroline. J'ai cherché sur Internet et il en existe bien un. Sur la carte, j'ai vu qu'il était encore plus près de Montréal que le lac Alice.

J'avais bien senti, l'autre jour, que ma sœur était un peu jalouse de ma « notoriété »… Je me suis informée :

– Il se trouve où, ton lac ?

– Près de Saint-Colomban, dans la région de Mirabel.

– D'accord, mon chaton, a dit papa. L'été prochain, nous partirons à la découverte du lac qui porte ton nom !

– Et il y a aussi un lac Zoé, a ajouté Caro.

Bon, cher journal, je sens que nous passerons les vacances d'été à faire la tournée des lacs Alice, Caroline, Zoé, Astrid, Marc, Alex, Étienne, Sophie, Olivier, Félix, Benoît et Francine !

Après le souper, le *king* du barbecue (alias papa) a remisé l'engin sous la terrasse. Finies, les savoureuses grillades. Du moins, jusqu'au printemps prochain. Il avait à peine décroché le hamac pour le ranger au sous-sol qu'il a commencé à pleuvoir. Après la douche, j'ai enfilé mon pyjama Shrek. Il me va encore ! Il faut dire que c'était maman qui l'avait choisi (2 tailles au-dessus !). Et devine ce que j'ai aux pieds, cher journal ? Mes bonnes vieilles pantoufles Shrek en fourrure vert fluo ébouriffée : le bonheur total ! À la fin de l'automne, il fait souvent gris et frisquet, mais quand on est chez soi, bien au chaud, et que le chauffage ronronne comme le faisait mon chat Grand-Cœur autrefois, quand je le caressais, j'adore !

20 h 58. Bien au chaud, que je disais… mais pas pour le pauvre poupou. Écoute ça, cher journal ! Mes parents sont montés se coucher il y a 5 minutes. Entrant dans la chambre, mon père s'est exclamé, pas très fort car mes sœurs dorment, mais assez pour que je l'entende :
– Quoi, la fenêtre est ouverte ! On gèle ici !
– Viens te réfugier sous la couette, chéri, lui a répondu ma mère. Tu verras, on y sera bien au chaud.

– Pourquoi t'obstines-tu à ouvrir la fenêtre quand il pleut, Astrid ?! Surtout qu'il ne s'agit pas d'un petit crachin mais d'une véritable drache, comme vous dites en Belgique.
– En écoutant l'eau jaillir du tuyau de la corniche, j'ai l'impression de m'endormir à côté d'un torrent de montagne, a déclaré la coupable qui, apparemment, n'éprouvait aucun remords. Comme l'hiver s'en vient, il se mettra bientôt à neiger, je devrai donc patienter jusqu'au printemps avant de pouvoir à nouveau écouter la pluie tambouriner sur le toit. Alors, s'il te plaît, mon beau Marc, laisse la fenêtre entrouverte, ce soir. Je te promets que c'est la dernière fois cette année que je te fais ce coup-là.

J'ai entendu le smack d'un baiser. Le valeureux papa venait de capituler.

Mardi 19 octobre

Marie-Ève m'a passé la suite des aventures de Kenza. Même si j'ai hâte de m'y plonger, ça attendra demain. Car ce soir, au programme, ce n'est pas *Passion équitation* mais bien *Passion Samantha et ses colocs* !

C'est aujourd'hui qu'on allait découvrir la remplaçante de Cruella. À la cafèt', à midi, on ne parlait que de ça.
– Imaginez, si c'était la jumelle de Fatalité ! a dit Eduardo.

– Elle a une sœur jumelle ?! a demandé Gigi Foster.
– Je blaguais.
– Blague à part, je stresse un max, nous a avoué Jade.
– Pourquoi ? Cette remplaçante ne peut pas être pire que la prof, a déclaré Patrick.

– Moi, ce n'est pas la remplaçante qui me rend nerveuse mais les examens d'admission au secondaire, ai-je avoué. Plus que quatre jours…

Ce n'était pas le cas de Kelly-Ann :
– Je suis confiante de les réussir. Ça ne m'empêchera pas d'aller patiner ce soir ni vendredi soir. Madame Robinson nous prépare vraiment bien.
– Je croise les doigts pour être admise au programme Sports-Études de l'école Mathieu-Sauvé ! s'est écriée Jade.
– Et moi au collège Jean-Paquin, a dit Marie-Ève. Ma mère préférerait que je fasse mon secondaire à Laval, mais…

Tombant des nues, je me suis écriée :
– Comment ça ! Tu es quand même inscrite à l'examen de samedi ?!

– Oui, Alice, et ne t'en fais pas, je compte bien le réussir. Comme maman s'est mis en tête que la polyvalente près de chez nous était le meilleur choix, je dois la convaincre du contraire. J'y mettrai toute mon énergie, tu peux me croire !

Je la crois. Mais quand même…

– Nos parents ne peuvent pas nous offrir l'école privée, a dit Catherine Frontenac. Mais mes grandes sœurs me parlent souvent de leur école publique. D'après Léa, c'est une des meilleures de Montréal. Je pense que je m'y plairai, moi aussi.
– Et toi, Violette ?
– Je rêve d'être admise à l'Académie de Rosemont.
– C'est l'école secondaire où il n'y a que des filles ?
– Exactement.
– Je trouverais ça *platte* ! s'est exclamée Audrey.
– Moi non plus, je n'aimerais pas ça, a renchéri Catherine Provencher. Dans la vraie vie, il y a des filles ET des gars.
– Justement, a répliqué Violette. À la maison, mes deux frères se disputent sans arrêt. Alors, à l'école, j'ai envie de pouvoir étudier en paix, sans être constamment dérangée par des *tannants* comme Patrick ou Jonathan.

De l'autre bout de la table, interrompant sa discussion avec Emma, Eduardo et Mathis Lafontaine, Pat, qui a l'ouïe fine, a fait une grimace cocasse à Violette. Puis, il a repris sa conversation comme si de rien n'était.

Quand la cloche a sonné, madame Normandin, la secrétaire, est venue nous chercher dans la cour.

– Vous pouvez monter en classe. La remplaçante d'anglais vous y attend.

En arrivant dans notre local, on a aperçu une dame obèse debout devant le bureau. Elle paraissait plus jeune que madame Robinson mais plus âgée que madame Pescador. Elle portait des chaussures noires à talons plats, un pantalon noir, et une ample tunique brillante en satin avec des motifs noirs et blancs. Ses cheveux noirs lisses me faisaient penser à ceux de Cléopâtre dans *Astérix*. Son visage affichait un sourire anxieux.

– *Good afternoon*, nous a-t-elle dit une fois qu'on a été tous assis. *My name is Miss Twigg. Grace Twigg.*

Et elle a désigné le tableau où elle avait écrit son nom. Puis, elle a ajouté, cette fois en français, mais avec un fort accent :

– C'est moi qui suis chargée de vous donner le cours d'anglais jusqu'au retour de madame Fattal. Ouvrez votre manuel à la page 47, s'il vous plaît.

Miss Twigg a commencé à nous expliquer des choses qu'on savait déjà. Lorsque Catherine Frontenac le lui a fait remarquer, la remplaçante s'est mise à nous parler vite. Et du coup, je ne la comprenais plus du tout. D'autant plus que je suis habituée à l'accent anglais de Cruella.

Devant moi, Patrick et Eduardo, qui chuchotaient d'un air moqueur, se sont mis à pouffer de rire. Dans ces conditions, impossible de me concentrer. Je sens que pour connaître ma leçon, la semaine prochaine, j'aurai besoin de l'aide de papa.

La remplaçante venait de quitter notre salle et madame Robinson n'était pas encore de retour. S'adressant à toute la classe, Patrick a demandé :
– Et alors, comment la trouvez-vous, Grasse Twit ?
– Grace Twigg, l'a reprise Violette.
– Elle est gentille, ai-je répondu à Pat. Beaucoup plus en tout cas que Cr… que madame Fattal.

Comme Gigi Foster m'observait, je me suis raclé la gorge, afin qu'elle prenne le drôle de son que j'avais émis avant « madame Fattal » pour un chat dans la gorge.

Figure-toi que presque personne n'a aimé Miss Twigg, cher journal. Sauf Emma Shapiro. Et moi. Parce qu'elle n'est pas Cruella.

À la fin des cours, en passant dans le hall d'entrée de l'école, j'ai reconnu la mère de Jonathan devant le bureau du directeur. Difficile de croire que cette femme calme et élégante ait mis au monde un enfant si remuant ! Elle qui, d'habitude, est souriante (comme son fils d'ailleurs), affichait un air préoccupé. Madame Robinson avait dû la convoquer à cause du ramdam que fait Joey dans la classe… Et justement, voilà que notre enseignante arrivait dans le hall avec monsieur Rivet. Après avoir salué madame Vadeboncœur, ils l'ont fait entrer dans le bureau du directeur. La porte s'est refermée. Ça n'augurait rien de bon. Sur ces entrefaites, Caro m'a rejointe et on est parties à la maison.

Mercredi 20 octobre

Je faisais des exercices dans mon cahier de préparation pour les examens d'admission lorsque Caroline m'a appelée en bas.

– Viens voir, Alice !

Talonnée par Cannelle qui me suit comme mon ombre, j'ai rejoint ma sœur dans la cuisine. Elle a désigné la fenêtre.

– Regarde.

Je me suis approchée. Trois coccinelles se promenaient sur la vitre.

– Oh, elles sont *cute*. Mais on devrait les mettre dehors.

– Tu n'y penses pas ! s'est écriée Caro. Il fait bien trop froid.

Je lui ai fait remarquer que les coccinelles passent l'hiver à l'extérieur.

– Les autres se sont sûrement déjà mises à l'abri. Celles-ci vont devoir rester ici.

– Sais-tu ce que ça mange, Alice, une coccinelle ?

– Aucune idée. Mais on trouvera cette information sur Internet.

C'est ainsi qu'on a appris que ces insectes se nourrissent de pucerons. Ils peuvent en consommer jusqu'à 150 par jour. (Beurk ! Rien que d'y penser, ça me donne mal au cœur. Heureusement que je ne suis pas une coccinelle ! Je préfère de loin un régime à base de tofu que de pucerons !)

– Des pucerons, il y en a au jardin, a déclaré Caroline. Maman se plaignait cet été que ses rosiers en étaient envahis.

Mais avant que j'aie eu le temps de lui dire que moumou avait réussi à se débarrasser d'eux en pulvérisant une mixture écologique sur ses rosiers, ma sœur était sortie sur la terrasse.

Comme il fallait s'y attendre, il n'y avait plus le moindre puceron à l'horizon. Caroline n'a pas eu de succès non plus avec les deux plantes vertes du salon, dont elle a examiné chaque feuille soigneusement. Alors, pour que ses coccinelles ne crèvent pas de soif, elle leur a versé une goutte d'eau sur le comptoir. Elle a aussi déposé, à proximité, un morceau de feuille de salade. J'étais sceptique :

– Avec ce régime végétarien, elles ne vivront pas longtemps.

Mais ma sœur, qui tient toujours à avoir le dernier mot, a décrété :

– Ne t'en fais pas, Alice. Elles passeront l'hiver à l'hôtel Aubry. Et au printemps, je les relâcherai au jardin.

Hôtel Aubry ★★★★

Je lui laisse ses illusions. Même si moi aussi j'aimerais sauver ces coccinelles, je crains que ce ne soit mission impossible. Le visage de Caroline s'est soudainement éclairé.

– Maman saura quoi faire !

– Comment ça ?!

– Ben, elle est diététiste, oui ou non !

– D'accord, mais elle s'occupe de l'alimentation des humains et non des coccinelles.
– On ne sait jamais...

20 h 13. Il y a 5 minutes, je venais de commencer la lecture d'*Embuscade à Flaming Gorge*. Caroline était déjà couchée et je pensais qu'elle dormait. Eh bien non. Elle m'a tout à coup annoncé qu'elle avait une idée :
– Ah oui ? ai-je fait.
– Pour l'Halloween, je me déguiserai en coccinelle.
– Et où comptes-tu trouver ton costume ?
– Au *Big Bazar*. Sinon, je le fabriquerai. Et toi, tu seras en quoi ?
– Je n'en sais encore rien.

Trente secondes plus tard, Caro a réagi.
– Alice, le 31 octobre, tu pourrais... tu pourrais...
Pour connaître son idée de génie, je devrai attendre demain, cher journal (et du coup toi aussi). Car ma sœur s'est endormie au milieu de sa phrase ! Bon, je retourne à ma lecture.

Jeudi 21 octobre

Pendant qu'on déjeunait, Caro a annoncé à mes parents qu'elle et moi, on ferait un crochet par le *Big Bazar* en revenant de l'école. Papa m'a confié un billet de 20 $, au cas où on dénicherait un déguisement à notre goût.

Cet après-midi, donc, on arrivait au coin de la rue du *Big Bazar* quand TILT !

– À propos, Caro, c'était quoi, hier soir, ton idée pour mon déguisement d'Halloween ?

– Pour *mon* déguisement, tu veux dire. Tu te rappelles ? Je veux me transformer en coccinelle.

– Oui, bien sûr, mais juste avant de t'endormir, tu m'as aussi annoncé que tu avais une idée pour moi.

– Pas du tout.

– Je te jure que oui.

– Et c'était quoi, ma soi-disant fameuse idée ?

– Ben justement, je n'en sais rien. Tu as sombré dans le sommeil avant d'avoir eu le temps de me la révéler.

Ouvrant la porte du *Big Bazar,* Caro a lancé :

– Tu as dû rêver, Alice !

Non mais... Ma sœur n'a jamais voulu en démordre, cher journal. C'est frustrant !

Au *Big Bazar,* il y avait des dizaines de déguisements usagés : une tortue Ninja, un chevalier, un chat, un ourson, deux citrouilles (une grande et une petite), plusieurs princesses, fées, sorcières, Batman et autres superhéros. Mais aucune coccinelle. Ni rien qui m'inspirait, moi. On allait ressortir bredouilles lorsque, RETILT ! J'ai proposé à Caroline :

– On pourrait déguiser Zoé en citrouille.

– Oh, elle serait trop *cute* !

Adjugé ! Le petit costume en fausse fourrure orange coûtait 3 $ (ou 3 jetons, mais on n'en avait pas). Après l'avoir payé, on est retournées à la maison avec notre butin. Déjà 1 déguisement de trouvé sur 3 ! Et 2, en fait, car tout à l'heure, j'ai surpris Caro en pleine conversation téléphonique avec grand-maman Francine. Elle lui a demandé de le lui confectionner, son costume de coccinelle. D'après ce que j'ai compris, grand-maman a accepté et le lui enverra par la poste. **L'HALLOWEEN, C'EST DÉJÀ DANS 10 JOURS !** Il faut que je me trouve un déguisement. En Fifi Brindacier ? Mes cheveux sont foncés et pas assez longs pour faire des tresses. Raté. En bébé ? Surtout pas, car si je croisais Gigi Foster, elle se moquerait de moi. Bon, en attendant de trouver l'idée du siècle, je vais reprendre mes révisions.

19 h 52. J'étais plongée dans le cahier de préparation. J'attendais que Caro sorte de la salle de bain pour aller prendre une douche à mon tour. Papa est entré dans la chambre.

– Encore au travail à cette heure-ci, ma puce ?
– Oui, mais j'ai peur, lui ai-je confié.
– Peur de quoi ?!
– De rater l'examen d'admission à Jean-Paquin, samedi. Et celui du collège Marie-des-Neiges, le 6 novembre.
– Moi, je ne suis pas du tout inquiet, Alice. Tu es une fille intelligente et une bonne élève. Tu es prête, je le sais. J'ai seulement deux conseils à te donner : ne te couche pas trop tard et pars confiante, samedi matin.

– Si j'échoue, vous ne serez pas trop déçus, maman et toi ?
– Pas le moins du monde. On saura que tu auras donné le meilleur de toi-même. C'est ça qui compte.
– Et qu'est-ce qui m'arrivera si je ne suis admise ni à Jean-Paquin ni à Marie-des-Neiges ?
– Il y aura toujours une place pour toi dans une bonne école, Alice.

Il est tellement gentil, mon papa. C'est vrai que lui et maman sont super relax avec cette histoire d'examens. Pas comme la mère d'Audrey qui lui met beaucoup de pression. Elle lui a même annoncé, hier, qu'elle serait *très* déçue si *sa fille* ne réussissait pas les épreuves à Jean-Paquin. Les paroles de mon père m'ont fait du bien. Mais quand même, vivement samedi midi, que l'examen soit fini.

Vendredi 22 octobre

À la récré, Éléonore passait et repassait devant l'érable, comme si elle espérait qu'on la remarque. Lorsque Marie-Ève s'est aperçue de son manège, elle lui a tourné le dos. Mais moi, je n'ai pu m'empêcher de lui dire :
– Ça va, Éléonore ?
– Pas vraiment, a-t-elle avoué en me rejoignant. En fait, vraiment pas.

Et elle a fondu en larmes.
– Qu'est-ce qui se passe ? lui ai-je demandé, inquiète pour Miss Parfaite qu'on n'a pas l'habitude de voir dans cet

état. Les examens d'admission te rendent malade de nervosité, toi aussi ?

Entre deux hoquets, Éléonore a lancé un cri du cœur :

– Non. Mais je m'ennuie de vouuus ! Bouuuuhhh !

– De Marie-Ève et moi ?! lui ai-je demandé, interloquée.

Dès qu'elle a été en mesure de répondre, elle a déclaré :

– Oui, mais aussi d'Audrey, de Jade et des autres de la classe. Enfin, de notre ancienne classe de 5e année.

Marie-Ève lui a fait remarquer :

– Tu avais pourtant l'air si fière de te retrouver en 6e A avec Simon, le jour de la rentrée. Je pensais que tu nous snobais.

– Vous snober ?! Mais alors là, pas du tout !

– C'est l'impression que j'avais. Tu ne te plais pas avec madame Pescador ?

– Oh, elle, je l'adore. Encore plus que monsieur Gauthier. Je ne parlais pas de l'enseignante de la 6e A mais des élèves. Comme Simon et moi, on était les deux seuls à être transférés dans l'autre groupe, je pensais que ça créerait une complicité entre nous. Mais ça ne s'est pas passé ainsi. Il est devenu l'ami de Petrus et ne fait pas attention à moi. Oh, il est gentil, mais de la même façon qu'il l'est avec les autres.

Marie-Ève n'a pu s'empêcher d'esquisser un léger sourire. Pas un sourire de triomphe vis-à-vis de la-belle-Éléonore-à-la-splendide-chevelure, avec laquelle elle est en compétition depuis le 1er jour de la 5e B. Pas un sourire sarcastique non plus (ce n'est pas le style de Marie), mais son visage s'est éclairé de bonheur. Car Simon, dont elle est amoureuse, ne se montre pas indifférent avec elle, bien au contraire. Même s'il est discret, il est clair qu'il aime Marie-Ève en retour.

Après s'être mouchée, Éléonore a poursuivi :
– À part Simon, je n'apprécie pas ceux de ma classe actuelle. Antoine Gaudet est un véritable tyran et Chloé, une peste. Quant aux jumelles, je ne les supporte pas !
– Billie et Brianne ? ai-je dit. Elles sont sympathiques, pourtant.
– Moi, elles me tombent sur les nerfs. Lors de mon déménagement, j'ai trouvé ça dur de devoir quitter mon école du Mile End et d'atterrir dans votre groupe où tout le monde se connaissait, à part Simon et moi, les nouveaux. Ça m'a pris du temps, mais en fin de 5e, je me suis enfin sentie intégrée dans votre classe. Après les vacances d'été, j'étais heureuse de retourner à l'école. Mais jamais je n'aurais imaginé que je ne me retrouverais pas avec vous, Audrey et les autres ! Et qu'à nouveau, je devrais faire des efforts pour faire partie d'un nouveau groupe. Cette fois-ci, je me sens carrément rejetée. Et l'adaptation, c'est loin d'être fini. Car l'an prochain, il va encore falloir changer d'école…

Et Éléonore a recommencé à pleurer. Gigi Foster, qui, comme un mauvais génie, a toujours l'art de jaillir de derrière l'érable au moment où on s'y attend le moins, a questionné Marie-Ève :

– Pourquoi fais-tu chialer ta rivale ? Simon est dingue de toi ; tu as gagné. Tu n'as donc plus aucune raison de crever de jalousie ni d'intimider Précieuse Marquise.

Avant que Marie-Ève ait eu le temps de riposter, Éléonore avait fait volte-face. D'un air furieux qu'on ne lui connaissait pas, elle a lancé à JJF :

– De un, Gigi, je ne m'appelle pas Précieuse Marquise mais Éléonore Marquis ! De deux, ce n'est pas à cause de Marie-Ève que j'ai du chagrin ! Au contraire, elle et Alice m'écoutent et me comprennent. Et de trois, Marie-Ève n'a jamais été jalouse de moi.

– Pas besoin de prendre tes grands airs, a rétorqué Gigi Foster. Comme vous vous êtes toujours détestées, je pensais que vous vous disputiez. Mais ça m'est complètement égal, dans le fond.

Tandis que la cloche sonnait, elle s'est éloignée. Éléonore a sorti un mouchoir en papier de sa poche. En essuyant les larmes qui baignaient ses joues, elle s'est mise à rire :

– En tout cas, ce n'est pas Gigi qui me manque. Ça, je vous le garantis !

On s'est dirigées vers l'escalier. Éléonore s'est à nouveau adressée à ma meilleure amie :

– J'ai dit à Gigi que tu n'avais pas été jalouse de moi, Marie-Ève. En effet, ça ne la regarde pas. Mais je dois t'avouer une chose : j'ai ressenti de la jalousie envers toi. Tu es si populaire... Et puis, Simon n'avait d'yeux que pour toi...

Stupéfaite, Marie-Ève est restée muette. Puis, doucement, presque en chuchotant pour que personne d'autre

ne l'entende, elle a répondu à la fille qui, jusqu'à hier, l'agaçait particulièrement :
– Moi aussi, j'étais jalouse de toi, Éléonore.

C'était au tour de Miss Parfaite d'être soufflée par cette révélation. Toutes deux se sont observées. Éléonore a rompu le silence.
– Bon, dans ce cas, on est quittes, non ?

Plusieurs secondes se sont encore écoulées avant que ma meilleure amie ne réponde. Elle n'a pas beaucoup de défauts, cher journal, mais je dois admettre qu'elle est d'un naturel rancunier.
– D'accord, a-t-elle fini par lâcher.

Comme on arrivait au 3e étage, devant son casier, Éléonore a dit, tout en ôtant son manteau :
– Merci, les filles. Vous m'avez redonné du courage. Bonne journée !

Et elle a suivi madame Pescador à l'intérieur de leur local.

Ce soir, maman est venue me chercher dans le bureau.
– Ça fait trois fois que je t'appelle, Biquette. Tu es encore sur lolo-banana.com ?
– Lola-falbala.com, l'ai-je corrigée de façon automatique, sans quitter l'écran des yeux.
– Mets l'ordinateur en veille, s'il te plaît, et viens dresser la table.
– Oh, moumou, laisse-moi au moins terminer la lecture du blogue de Lola Falbala !

(Cher journal, Chick, le chihuahua de ma chanteuse préférée, s'est luxé la rotule en accompagnant Lola lors de son jogging matinal. Il va passer la nuit à la clinique vétérinaire, en observation. Pauvre petit chou...)

Après le souper, j'ai appelé Marie-Ève.

– Tu as vu, pour Chick ?

– Non, raconte-moi !

Ensuite, on a parlé des surprenantes confessions d'Éléonore.

– Je t'avoue que je suis tombée des nues, ce matin, m'a dit ma meilleure amie. Jamais je n'aurais pu m'imaginer que Miss Parfaite s'ennuyait de moi !!! En 5e, elle faisait tout pour me dépasser en français !

Même si les contrôles de grammaire, c'est pas mon fort, cher journal, j'ai des notes encore meilleures que Marie-Ève en dictée et en composition de textes. Mais je n'ai jamais senti une quelconque compétition de la part d'Éléonore envers moi. Pour une fois, je suis d'accord avec JJF : la rivalité entre Marie-Ève et Éléonore concernait davantage le blond Simon que les résultats en français...

– L'an dernier, je n'ai jamais eu l'impression qu'elle appréciait qui que ce soit dans notre classe, à part Audrey et Simon.

– Tu as raison, Marie. Mais ça ne doit pas être facile de changer d'école.

– On vivra nous aussi cette expérience à la rentrée, a poursuivi mon amie. J'espère qu'on réussira toutes les deux l'examen du collège Jean-Paquin, demain. Et que ma mère ne m'obligera pas à m'inscrire à Laval. J'aimerais tant passer le secondaire avec toi, Alice !

Et moi donc ! On s'est souhaité bonne chance. Au moment où on allait raccrocher, j'ai eu une idée. J'ai demandé à ma *best* si elle voulait revenir avec moi à la maison, après l'examen. Ainsi, on passerait l'après-midi ensemble. Elle est d'accord, et sa mère aussi. Je te laisse, cher journal, pour aller me coucher. Car demain, même si on est samedi, mon réveille-matin sonnera à 7 h (on doit arriver sur place à 8 h...).

Samedi 23 octobre

Cher journal, il est 19 h et Marie-Ève se fait couler un bain. Comme elle marine toujours dans la baignoire pendant des heures (j'exagère un peu), j'en profite pour te raconter ma journée. Donc, ce matin, il y avait foule devant l'imposant collège Jean-Paquin. En grimpant les marches derrière les autres jeunes de mon âge accompagnés de leurs parents, je me demandais si je serais à la hauteur de ce qu'on exigerait de moi. Mon niveau de stress était tel que j'en avais des crampes à l'estomac. Tandis que je m'installais à ma table d'examen, j'ai aperçu Kelly-Ann, sur ma gauche. Puis, Audrey et Bohumil, deux rangées derrière elle. Et juste avant que l'examen ne commence, j'ai repéré Marie-Ève, à l'autre bout de l'immense salle.

Trois heures plus tard, c'est un peu étourdie que je suis sortie de là. Mon père m'avait donné rendez-vous au bout de la rue. J'ai d'abord attendu ma meilleure amie près de l'entrée du collège. Je me sentais soulagée que ce soit fini… jusqu'à l'instant où je me suis rappelée que dans 2 semaines, le même type d'épreuve recommencerait, au collège Marie-des-Neiges… Mais ça m'énervait moins. D'une part, l'expérience d'aujourd'hui m'avait donné de l'assurance. D'autre part, cette école-là était mon 2e choix.

Marie-Ève m'a rejointe. Dans la fourgonnette, sur le chemin du retour, on n'a pas arrêté de parler de l'examen. Certaines questions nous avaient semblé faciles, d'autres vraiment compliquées.

Maman nous a accueillies avec un plat typiquement belge : des chicons (endives) au gratin. Ensuite, Marie-Ève et moi, on est allées promener Cannelle.
– On peut passer par le dépanneur ? a demandé mon amie.
– D'accord.

Tandis que je l'attendais à l'extérieur avec mon chien, elle a acheté un chocolat à la menthe et des bonbons aux fraises et à la mangue.

Au coin de la rue, Marie-Ève m'a donné un coup de coude. Désignant du menton un ado qui venait à notre rencontre en tenant la main d'une femme, elle a chuchoté :
– On dirait Petrus…

– C'est vrai qu'il lui ressemble. Sauf que Petrus n'est pas si grand. Et que ses cheveux sont plus blonds et plus longs.

Lorsqu'il nous a croisées, le beau sosie de Petrus Koopman-Vallée n'avait toujours pas lâché la main de celle qui, visiblement, était sa maman. Il souriait en regardant devant lui (il n'a pas fait attention à nous). Quant à sa mère poule, elle avait l'air contente, elle aussi, comme si c'était la chose la plus naturelle du monde de tenir son fils de 12 ou 13 ans par la main en public. **Biiizarre**. À leur place, j'aurais été embarrassée. Une idée m'a traversé l'esprit : ces gens devaient avoir des ancêtres communs avec Emma Shapiro. Car Emma non plus, elle ne connaît pas la gêne.

Vers 16 h, après avoir pris des nouvelles de Chick sur lola-falbala.com (la vétérinaire l'a opéré pour régler définitivement son problème de luxation ! L'intervention s'est bien déroulée et Lola ira chercher son chihuahua demain. Fiou !), j'ai suggéré à Marie-Ève de faire un karaoké. Elle a accepté avec empressement. On a choisi plusieurs chansons de Lola et deux des Tonic Boys. Venant nous rejoindre, Caroline nous a proposé de chanter *Montréal*, toutes les trois. ♭ ♪

♭ ♫ ♪ Trop cool !!! ♪ ♫ ♪

La petite sirène a daigné émerger de son bain. Elle vient d'arriver dans ma chambre, vêtue d'un douillet pyjama rose. Dans son sillage flotte un délicieux parfum de fraise… (Quand Marie-Ève loge ici, elle apporte toujours son bain moussant à la fraise !) J'adore passer des soirées avec ma BFF ! On va bientôt avoir un autre bon moment ensemble ☺☺☺. En effet, Marie-Ève soupera chez nous le mercredi 3 novembre car, ce soir-là, sa mère travaillera comme maquilleuse sur le plateau de tournage d'une émission de télévision. Yé !

Dimanche 24 octobre

Pendant qu'on se préparait du pain doré pour le déjeuner, Marie-Ève m'a expliqué :
– Pour l'Halloween, ma cousine me prêtera son costume de mariée cadavérique. Et toi, tu seras en quoi, finalement ?
Bon, là, il fallait que je me branche. Maman m'a proposé de me déguiser en épouvantail. Moins glamour que ça, tu meurs, cher journal... Mais Marie-Ève s'est rangée de son côté. Moumou a affirmé que l'Halloween, ce n'était pas une parade de mode, et qu'un épouvantail, c'était l'idée du siècle (il ne faut pas exagérer...). Bref, elle s'est précipitée hors de la cuisine.

Une minute plus tard, elle était de retour avec le jeans rapiécé qu'elle enfile pour jardiner ainsi qu'un vieux chapeau dont la paille se défait sur les côtés. S'y mettant aussi, papa est allé chercher sa chemise à carreaux rouges et blancs qui est trouée à plusieurs endroits mais qu'il ne s'est jamais résolu à jeter. Loin d'être convaincue, j'ai grogné :
– Je vais flotter dans le jeans et surtout dans la chemise qui m'arrive aux genoux...
– Justement, c'est parfait pour un épouvantail ! a déclaré Caro.
– Tu n'auras qu'à retrousser les manches de la chemise, a renchéri maman. Tu rouleras les jambes du jeans et tu le feras tenir avec ta ceinture.
– J'ai une idée ! a déclaré Marie-Ève. Ma mère pourrait te maquiller le visage pour te donner un look inquiétant.

– Alors là, si c'est Stéphanie Poirier qui apporte une touche finale à mon déguisement, d'accord !

21 h 18. Je venais de me coucher, cher journal, quand il m'a semblé entendre un son aigu, dehors. Comme une longue plainte. Était-ce le vent qui mugissait ? Je suis allée jeter un coup d'œil à la fenêtre, suivie par Cannelle. La maison derrière chez nous se fondait dans l'obscurité de la nuit. J'ai entrouvert la fenêtre et l'air froid m'a fait frissonner. J'ai tendu l'oreille. La plainte a recommencé, plus longue encore. Puis des cris. Puis de nouveau ces lugubres lamentations. Ça provenait bien de la maison d'en face… Et pour que je l'entende, une de leurs fenêtres devait être ouverte. Ma chienne a grogné. Soudain, les bruits ont cessé. Mais décidément, il se passe des choses anormales là-bas.

Lundi 25 octobre

Ce matin, donc, j'ai décrit à mes parents la plainte et les cris d'hier soir, ainsi que les phénomènes lumineux que j'avais déjà observés. En allant porter sa tasse et son assiette dans le lave-vaisselle, papa a dit :
– Nos nouveaux voisins ont sans doute un enfant qui s'amuse parfois avec l'interrupteur de sa chambre. Et hier, il devait avoir de la fièvre. Ça expliquerait ses gémissements.

Détachant Zoé de sa chaise haute, maman a déclaré :
– Ou alors, il s'agit d'un bébé qui fait ses dents.

– Ce n'était pas la voix d'un enfant et encore moins celle d'un bébé, ai-je rétorqué.

Mais mes parents avaient déjà quitté la cuisine. Leurs explications ne m'avaient pas convaincue. Caro, par contre, a pris mes inquiétudes très au sérieux. Selon elle, quelqu'un est séquestré derrière chez nous.

– Le prisonnier essaye désespérément d'attirer l'attention des voisins !

– Pourquoi n'appelle-t-il pas carrément à l'aide ? lui ai-je demandé.

– Il devait crier « au secours », hier, mais tu n'as pas compris. Et ensuite, ses ravisseurs l'ont bâillonné ! Tu devrais appeller le 9-1-1 !

– Papa et maman ne seraient pas d'accord. On dirait qu'ils se fichent de ce qui se passe chez les voisins.

– Écoute, Alice, si ça arrive encore, réveille-moi. C'est moi qui préviendrai la police !

Dans la cour d'école, je racontais cette histoire troublante à Marie-Ève, Audrey et Catherine Provencher lorsque Petrus est passé près de nous. Marie-Ève lui a dit bonjour.

– Salut les filles, a répondu ce gars de la 6e A.

– Dis, Petrus, tu as un frère ?

– Oui.

– Quel âge a-t-il ?

– Presque 13 ans. Mais pourquoi tu me demandes ça, Marie-Ève ?

– Samedi, on a croisé un gars qui te ressemblait, dans la rue.

Sur ces entrefaites, Bohumil est arrivé :
– Hé, Petrus, imagine-toi que…
Et la cloche a sonné. On s'est tous dirigés vers l'escalier.

Ce soir, maman nous a annoncé qu'on souperait entre filles. Car papa et un de ses collègues étaient retenus au bureau par Sabine Weissmuller. Ensuite, ils iraient manger une pizza tous les trois, pour continuer à discuter d'un dossier complexe.
– Zut, et moi qui comptais sur lui pour m'aider à réviser mon anglais ! ai-je bougonné.
– Si tu veux, on peut regarder ça ensemble ! s'est exclamée Caroline. Commence par étudier ta leçon et ensuite, je t'interrogerai.

J'ai ouvert mon manuel d'anglais. Mais rapidement, mes pensées se sont mises à vagabonder… vers Beyrouth. Karim n'avait pas encore répondu à mon courriel…
– Tu es dans la lune, Alice ! m'a reproché Caro en fronçant les sourcils. Concentre-toi, sinon tu vas y passer la soirée. Et moi, je n'ai pas que ça à faire !
Ma sœur se prend pour une prof ! Je m'y suis remise, sérieusement, cette fois. Ma parole, ça rentrait tout seul !

Caroline m'a interrogée. La 1re fois, elle m'a donné 7,5/10, et la 2e fois, 9,5/10. Elle m'a incitée à réviser encore demain matin. J'avais l'impression d'être une malade en convalescence, soutenue par une infirmière qui me guidait sur le chemin de la guérison. Vive Miss Twigg ! Et vive Caro ! Et, dans ces conditions, vive l'anglais, cher journal !

Professeure Caroline Aubry, 8 ans, 4 mois et 17 jours.

Juste avant de se coucher, Caro est allée à la fenêtre. Elle l'a même ouverte. Mais ce soir, il n'y a rien à signaler derrière chez nous.

Mardi 26 octobre

Quand Miss Twigg a demandé qui voulait résumer l'histoire que nous avions étudiée la semaine dernière, personne ne lui a répondu. Alors, j'ai levé le doigt.

– *What's your name ?*

– Alice.

Les autres se sont tournés vers moi pour me dévisager. Ils savent que l'anglais, ce n'est pas mon fort. Miss Twigg me souriait.

– *So Alice, what happened in the candy store during the night ?*

Quand je me suis tue, l'enseignante m'a félicitée :

– *Very good, Alice.*

Du coup, comme j'avais brisé la glace, plusieurs élèves ont répondu à ses questions.

En général, les remplaçants ont mauvaise réputation, cher journal. Les jeunes leur mènent la vie dure. Mais moi, je me dis que ça ne doit pas être évident de débarquer en pleine année scolaire dans une école où personne ne vous connaît. Bref, Miss Twigg a senti que j'étais son alliée. En ce qui me concerne, elle peut rester jusqu'au 21 juin ! Et peu importe si Gigi Foster m'a glissé, à la fin du cours : « Tu fais tout pour devenir la chouchou de Twiggie ! » Non, je ne cherche à devenir la favorite de personne, cher journal. Je veux juste me montrer accueillante envers cette remplaçante et lui laisser une chance. Et je profite aussi de l'absence de Cruella pour m'améliorer en anglais.

Tiens, j'en connais un à qui ça ferait vraiment plaisir : oncle Alex !

De retour en classe, madame Robinson a déclaré que monsieur Rivet nous attendait dans la grande salle. Stanley lui a demandé pourquoi, mais elle a refusé de nous le dire. Cependant, comme ses yeux étincelaient joyeusement derrière ses lunettes rouges, j'ai pensé que cette rencontre devait concerner les livres… Nous sommes descendus en même temps que madame Pescador et ses élèves. Arrivés au 2e étage, on est tombés sur un embouteillage. Toute l'école était conviée à la réunion du directeur !

La banderole qui nous avait accueillis à l'entrée de la cour le jour de la rentrée scolaire et qui, depuis, décorait le hall d'entrée était déployée devant le rideau rouge de la scène.

École des Érables :
100 ans, ça se fête en GRAND !

La grande salle était pleine à craquer. On s'était à peine faufilés au fond que le directeur est monté sur l'estrade. Muni d'un micro, il nous a annoncé :

– Comme vous le savez, notre établissement fête son 100e anniversaire, cette année. Depuis le mois d'avril, le comité du centenaire, composé de 6 enseignants, de 6 parents et de moi-même, a travaillé d'arrache-pied à monter de beaux projets. Et aujourd'hui, chers élèves de l'école des Érables, nous sommes fiers de vous dévoiler la programmation.

Provenant des coulisses, il y a eu un roulement de tambour. Madame Pescador, madame Duval et monsieur Gauthier ont déboulé sur la scène. (Oh, ce dernier portait mon tee-shirt *100 % cool* !!!) Ils nous ont présenté 8 projets pour cette année. Je te résume ça de mon mieux, cher journal.

1. Notre école aura désormais son propre journal. Il sera rédigé et illustré par les élèves. Le 1er numéro de *L'Écho des Érables* sortira en décembre et ensuite, il y aura un numéro par mois. Ce projet sera chapeauté par madame Pescador.

2. La construction d'une annexe débutera au printemps. On y installera une grande bibliothèque au rez-de-chaussée, un centre multimédia (une 2e salle d'ordis et un studio de radio) au 1er étage. L'inauguration est prévue pour la prochaine rentrée. (C'est trop cool mais nous, les 6e, ça ne nous concerne pas car on ne sera plus là. Au

moins, Caro en profitera. Et Zoé, plus tard.) Le projet est coordonné par : (devine qui, cher journal ? Bon d'accord, c'est la devinette la plus facile de l'histoire de l'humanité) madame Robinson (+ monsieur Rivet). Je l'avais deviné, au sourire radieux de notre enseignante, que cette réunion devait avoir quelque chose à voir avec les livres !

3. Le projet *Affichez vos couleurs !* prévoit la création de 2 murales (des peintures géantes) sur le mur de béton qui ferme un des côtés de la cour. Actuellement, côté rue, ce mur est sale et couvert de vieux graffitis. Et côté cour, il est d'un gris déprimant, du style « cour de prison ». Le projet, piloté par monsieur Gauthier et madame Hamel, s'adresse aux élèves de 5e et de 6e. L'inauguration aura lieu au printemps.

4. Le projet *100 ans d'histoire* comprend 3 volets :

- Trois jeunes érables seront bientôt plantés devant l'établissement. Car il y a 100 ans, notre école comptait 4 érables sur son terrain et non un seul, comme en témoigne une photo d'archives. Monsieur Rivet se rappelle d'ailleurs que ces arbres étaient encore là lorsqu'il est arrivé à l'école en 1980 (pas comme directeur mais en tant qu'élève de 1re année. Trop mignon ! Mais impossible d'imaginer le petit Jean-François Rivet, 6 ans, sans une courte barbe bien taillée ! Hi, hi, hi !) Puis, 3 des érables ont souffert d'une maladie et ont dû être abattus (snif). Je me suis toujours demandé pourquoi notre école s'appelait l'école *des* Érables puisqu'il n'y en avait qu'un seul. Voilà un mystère d'élucidé.

- Une exposition de photos prises dans l'école durant l'année de son inauguration. À cette époque, cher journal, les écoles n'étaient pas mixtes. La nôtre était réservée aux garçons, paraît-il. « Et les filles ? » a questionné Brianne. Elles allaient à l'école près du parc (qui, depuis, a été transformée en garderie, celle que fréquente Zoé).
- Pour garder un souvenir du centenaire, madame Duval et madame Popovic enregistreront avec nous, les élèves, un *move dub.* Notre prof de gym a expliqué qu'il s'agissait d'une vidéo tout en mouvement et en musique qui se passera dans l'écool. Euh, je veux dire, dans l'école. Ça a l'air cool ! Ma sœur et moi, on était sur la même longueur d'onde car elle s'est retournée et a levé son pouce en l'air en me faisant un grand sourire.

☺ 5. L'opération *Élèves du monde* aura, elle, 2 volets :

- *Solidarité* piloté par monsieur Rivet qui débutera en janvier. Le directeur nous a raconté que c'était le succès remporté par le projet *Solidarité avec la Turquie,* l'an dernier, qui lui avait donné l'idée de mettre sur pied un nouveau programme humanitaire pour soutenir une école dans un pays en voie de développement. Marie-Ève et moi, on s'est regardées, pas peu fières !
- + une surprise dans la cour d'école. Sont invités à participer à ce projet-mystère les élèves nés dans un autre pays ou encore ceux dont les parents sont originaires

d'un autre pays. Comme ma mère vient de Belgique, ça me concerne. J'ai rempli le coupon qui se trouvait dans la chemise détaillant la programmation du centenaire pour nos parents. Il paraît que monsieur Rivet tirera 12 coupons au sort. Pourvu que je sois parmi les gagnants ! Mais on remportera quoi, au fait ? Le directeur a promis qu'on le découvrirait au printemps. Dans une éternité, quoi ! Pfff…

☺ 6. *École écolo* a pour objectif l'implantation d'un compost dans la cour. Il a été présenté par Hugo, le maître d'œuvre du projet. Il sera épaulé par son père (qui travaille à l'Éco-quartier, je te le rappelle, cher journal) et par monsieur Rivet. Sur la scène, le gars « 100 % vert » de notre classe rayonnait. Il ne nous avait parlé de rien, le cachottier !

☺ 7. *La fête des enseignants* : à partir de l'an prochain, l'école des Érables fêtera ses profs le 5 octobre, lors de la Journée mondiale des enseignants. Mais cette année, monsieur Rivet a plutôt choisi d'honorer les enseignantes + monsieur Gauthier durant la dernière semaine de classe, fin juin.

☺ 8. *À la découverte de la Gaspésie !* Les 5e et 6e années passeront une semaine en Gaspésie au mois de mai. Marie-Ève et moi, on s'est regardées, incrédules.
– On va aller en Gaspésie ?! s'est écrié Jonathan. Pour de vrai ?

– Oui ! lui a crié monsieur Gauthier de la scène. 
– Trop *hot* ! s'est exclamée Africa.

Moi aussi, je trouve ça vraiment trop *hot*, cher journal. C'est incroyablement génialissime ! Je vais ENFIN découvrir la Gaspésie ! En compagnie de mes amis. Et avec pour guide, monsieur Gaspésie en personne (Julien Gauthier) !

Tiens, les noms Gauthier et Gaspésie commençent tous deux par « ga » : c'est peut-être pour ça que le prof de 5e A est gaga de la Gaspésie !

En revenant de l'école, ma sœur boudait. Elle aussi veut être du voyage.

– J'ai une solution ! a-t-elle déclaré à table. Papa, tu n'as qu'à t'inscrire comme parent accompagnateur. Puisque je suis ta fille, je pourrai venir avec toi en Gaspésie.

– Désolée de te décevoir, mon chaton, ça ne marche pas comme ça. Ce séjour est réservé aux grands de l'école.

– La vie est TROP injuste !

Cherchant à détourner la conversation, maman lui a demandé :

– Parmi les projets du centenaire de l'école, Ciboulette, y en a-t-il un autre qui t'emballe ?

– Le journal. Je voudrais y participer.

– Formidable ! Et quel genre d'articles écrirais-tu ?

– J'aimerais interviewer les profs.

– Pour leur demander quoi ? ai-je questionné Caro.

– Je les interrogerai sur leurs goûts, leurs habitudes, ce qu'ils font quand ils ne sont pas à l'école…

– Et tu commencerais par madame Popovic ?
– Oui. Et dès que madame Fattal sera de retour, je l'interviewerai.

Le souhait du chouchou n° 1 de la 3e A (alias ma sœur) :

Vivement le retour de madame Fattal !

Le souhait de la shpoutz de Cruella (alias moi) :

Que Cruella Fattal ne remette jamais les pieds à l'école (du moins, tant que j'y serai !)

Cher journal, je te résume l'épisode de *Samantha et ses colocs* :

Ce soir, Samantha avait passé une super soirée chez Maude Kavanagh, qui fêtait ses 23 ans. Elle s'était même réconciliée avec Liam ! Après une semaine d'étude intense, cette sortie lui avait fait un bien fou. Sur le coup de minuit, même si le *party* battait encore son plein, Samantha s'est éclipsée, car le lendemain matin, elle avait un gros examen. Dehors, il pleuvait, et le temps d'arriver à son auto, les longs cheveux roux de la belle héroïne étaient trempés. La 1re chose qu'elle a faite, en s'asseyant dans sa Fiat, a été de monter le chauffage. Ensuite, elle a mis la musique de Taylor Swift. Elle avait hâte de prendre une bonne douche chaude et de se coucher. Elle rêvait aussi d'enlever ses nouvelles sandales haut perchées. En effet, elle avait tellement dansé qu'à présent, elles lui torturaient les pieds. Coup de chance : dans la rue, il restait une place de stationnement. Petite. Mais comme Samantha Wilson a une mini-auto, elle s'y est faufilée sans difficulté. Elle arrivait devant chez elle quand elle a réalisé qu'elle avait oublié son iPhone dans la voiture. Alors qu'elle s'apprêtait à ouvrir la portière du côté trottoir afin de le récupérer, son petit trousseau de clés (auto et appart) est tombé. Il a fait *cling* sur la grille d'égout et a disparu.

Samantha s'est écriée :

– C'est pas vrai ! Je rêve !!!

Pas la peine de sonner à l'appart, aucun de ses 4 colocs ne lui répondrait. En effet, Liam se trouvait encore à la soirée. Annabelle dormait chez son nouveau *chum*, à l'autre bout de la ville. Élo (Éloïse Girard) ne serait de retour que le lendemain soir de chez ses parents, en Abitibi. Et Péa (Pierre-Alexandre Beauchemin) était à Toronto.

À cet instant, papa a fait irruption dans la chambre.

– Alice, c'est pour toi, m'a-t-il dit en me passant le téléphone.

– C'est qui ? ai-je chuchoté.

– Ulysse Bergeron.

J'ai froncé les sourcils avant de réaliser que ça devait être le père de Marie-Capucine et de Jean-Sébastien.

– Il ne pourrait pas appeler à un autre moment ? a grogné Caroline. Chut !

Enjambant précipitamment maman pour descendre du grand lit, je suis sortie de la pièce et j'ai refermé la porte derrière moi. J'ai dit :

– Bonsoir monsieur, c'est Alice.

– Bonsoir Alice. Désolé de te déranger. Serais-tu disponible, vendredi soir, pour garder les enfants ?

– Euh, oui. Vers quelle heure ?

– 17 h 30.

– Et jusqu'à quand ?

– Nous devrions être rentrés pour 22 h.

– D'accord.

– C'est Marie-Capucine qui va être contente ! Tu souperas avec les enfants, Alice. Merci et à vendredi.

– Bonne soirée, monsieur.

Il faut que je prévienne papa. La prochaine fois, si quelqu'un nous téléphone pendant notre émission, Caro, maman ou moi, qu'il dise qu'on rappellera après 20 h 30 !

Mercredi 27 octobre

En rentrant de l'école, Caro est partie promener Cannelle. Moi, avant d'aller chercher notre bébé chéri à la garderie, je voulais essayer mon attirail d'épouvantail. Car l'Halloween s'en vient à grands pas : plus que 4 jours. J'ai enfilé mon gros chandail de laine, la vieille chemise paternelle et le jeans maternel. Puis je me suis regardée dans le miroir des portes de garde-robe de la chambre de mes parents. Yé, super ! Il suffisait d'ébouriffer mes tifs (ce que j'ai fait, avec un peu de gel) et j'étais méconnaissable. Oh, j'allais oublier le chapeau en paille déglingué. Mais, juste à ce moment, on a sonné. Alors je me suis précipitée dans l'escalier pour ouvrir à Caroline et à Cannelle. J'allais lui demander (à ma sœur, pas à ma chienne) ce qu'elle pensait de ma transformation. Pilant sur les jambes du pantalon que je n'avais pas encore retroussées, j'ai bien failli débouler toutes les marches… Heureusement, je me suis rattrapée de justesse à la rampe !

À la place de ma sœur, une femme se tenait devant moi, ses lunettes de soleil élégamment relevées sur ses cheveux châtains qu'elle portait en chignon. Sa veste en cuir marron avait un col en fourrure. Un jeans impeccable et des bottes chic en cuir marron, elles aussi, complétaient sa tenue. Elle devait s'être trompée d'adresse.
– Bonjour, m'a-t-elle lancé. Es-tu… Alice ?

– Euh, oui !
– Je suis Sabine Weissmuller.

Sabine Weissmuller, la chef de papa ! Et il fallait que ce soit dans cet accoutrement que je la croise pour la première fois !!! Scrogneugneu de scrogneugneu… si j'avais su que ce n'était pas Caro qui sonnait à la porte, JAMAIS je n'aurais ouvert. Rougissant, j'ai balbutié :

– Bonjour, madame.
– Ton papa est-il déjà arrivé ?
– Non, pas encore.
– Cet après-midi, il se trouvait chez nos fournisseurs, à Laval. Pour lui éviter de devoir revenir au centre-ville, je lui avais promis de lui apporter le dossier dont il a besoin pour sa visite de demain matin. Peux-tu le lui remettre, s'il te plaît ?
– D'accord.
– Merci Alice, et bonne soirée !
– Merci madame. À vous aussi.

Morte de honte, j'ai refermé la porte. Qu'est-ce que Sabine Weissmuller avait dû penser de la fille aînée de Marc Aubry ? Qu'elle était une préado renfermée, mal dans sa peau et par-dessus tout, hyper mal fagotée ! Pfff… la vie, des fois…

Ce soir, on venait de se mettre à table quand le cell de papa a sonné. Sous l'œil désapprobateur de moumou pour qui l'heure du repas est sacrée et qui déteste qu'on réponde au téléphone à ce moment-là, il l'a saisi et s'est exclamé :

– Ah Sabine, bonsoir ! Merci d'être passée et d'avoir déposé le dossier. Comme ça, tu as fait la connaissance de mon Alice ?!

Gloups. Tirant une drôle de tête, je me suis concentrée sur ma crème de courge-poires-gingembre (délicieuse, par ailleurs).

20 h 40. Rien à signaler dans la maison derrière chez nous. D'un côté, tant mieux ! D'un autre côté, Caro a commencé à mettre cette histoire en doute.

– Tu es sûre, Alice, que tu n'as pas rêvé ces trucs étranges ? Toi qui fais souvent des cauchemars…

Même si je l'ai assurée que non, j'ai vu qu'elle n'était pas convaincue. Pfff… Cannelle et toi, cher journal, vous êtes désormais les seuls à me croire.

Jeudi 28 octobre

Ce matin, mes amies et moi, on observait deux hommes qui déchargeaient trois arbres devant l'école. Les nouveaux érables étaient loin d'être riquiqui. Ils avaient la taille de monsieur Gauthier. Les hommes ont creusé un trou profond et y ont placé le premier érable. Un homme le tenait tandis que l'autre tassait la terre tout autour. Reprenant leurs pelles, ils se sont attaqués au second trou quand Audrey nous a demandé en quoi on se déguiserait pour l'Halloween. J'ai fait rire mes amies aux larmes en leur racontant ma mésaventure d'hier, avec la *boss* de

mon père. Patrick et Eduardo sont arrivés. S'adressant à Marie-Ève, Pat a ricané :
– J'imagine que tu te déguises en monstre ?
– Pourquoi tu dis ça ?
– C'est vrai, j'avais oublié que tu n'avais pas gardé la photo du monstre que le fils du photographe avait glissée dans tes photos scolaires. Sinon, tu aurais pu t'en inspirer.

Marie-Ève a levé les yeux au ciel.
– Et toi, Alice, a repris Patrick, il paraît que tu cherches une idée de déguisement.
– Plus maintenant, merci. J'ai ce qu'il me faut.
– Tu es certaine ? Car tu pourrais te costumer en chèvre.
– ???!!!
– En biquette, quoi !
– Patrick Drolet ! ai-je soupiré.
– On ne peut plus plaisanter ?
– Oui, mais les blagues les plus courtes sont les meilleures. Et cette affaire de Biquette a suffisamment duré. D'ailleurs, je n'ai pas de déguisement de chèvre.

Tandis que Patrick et Eduardo s'éloignaient, Emma a dit :
– Si j'étais toi, Alice, je le prendrais au pied de la lettre et je me déguiserais en biquette. Il serait surpris que tu suives son conseil. Du coup, il te ficherait la paix avec cette histoire.

On sait bien, Emma Shapiro, elle ose tout !

Au cours d'éduc, madame Duval a décrété qu'on jouerait au basketball. Emma était ravie. Gigi Foster l'a choisie dans son équipe mais elle l'a vite regretté. Car si Emma Shapiro s'était élancée joyeusement, avait foncé dans la mêlée et même bousculé Violette et Joey pour attraper le ballon, à la fin, elle l'a lancé n'importe comment. En fait, elle est aussi nulle que moi, cher journal. La seule différence, c'est qu'elle n'a pas l'air de le savoir.

Emma est maladroite!

(Emma emma ladroite!)

Vendredi 29 octobre

Patrick et Eduardo sont venus me rejoindre sous l'érable. Pat m'a tendu une boîte carrée en carton mauve brillant.

– Tiens, c'est pour toi, Alice.

– Un cadeau? Pourquoi? Ce n'est pas plutôt une farce?

– Non, non, je te promets.

Moi, j'étais mal à l'aise avec ce paquet entre les mains. J'avais peur qu'il explose ou quelque chose du genre. Pourquoi Patrick Drolet m'offrait-il un présent? Ce n'était même pas ma fête. Je lui ai rendu la boîte.

– Ouvre-la toi-même, Pat.

– Oh, les filles, c'est tellement peureux!

Africa, qui arrivait, a riposté:

– Ça, c'est pas vrai!

Et s'adressant à moi:

– Si tu veux, Alice, je la déballe pour toi.

Quelques secondes plus tard, elle a sorti de la boîte un masque de chèvre. Patrick a expliqué :
– Tu disais hier que tu ne possédais pas de déguisement de chèvre, Biquette Aubry. Alors, maintenant, tu n'as plus de raison de ne pas...
– Extra ! s'est écriée Emma.

Bien qu'il ne représente pas une chèvre grotesque mais un joli cabri, je me sentais ridicule. S'emparant du masque, Emma l'a placé devant son visage. Puis, il a fait le tour de mes amies. Même Hugo a voulu l'essayer. Patrick a ricané.
– Si tu préfères te déguiser en brosse à dents ou en ouistiti, m'a-t-il dit, tu pourras toujours garder ton masque en souvenir du temps où ta mère t'appelait Biquette devant la cour d'école. Ou au pire, tu t'en débarrasseras au *Big Bazar*. Tu en obtiendras bien 2 coupons.

Kelly-Ann a demandé à Patrick où il avait acheté le masque.
– Je suis tombé dessus par hasard dans le magasin de la rue Mont-Royal où j'ai trouvé mon costume de squelette. Je n'ai pas pu résister.
– Tu seras en squelette, le soir de l'Halloween, Pat ?! a fait Jonathan. Moi aussi !
– Cool. De toute façon, on est tous des squelettes ambulants.
– Parle pour toi ! a répliqué Jade.
– Si ton tas d'os ne te tenait pas debout, tu ramperais comme un ver de terre ! En fait, nous sommes des squelettes déguisés, avec un costume de chair et de peau.

– Beurk ! Tu me dégoûtes, Patrick ! s'est exclamée Éléonore.

Catherine Frontenac a proposé :
– Et si on organisait une fête mémorable, plutôt que de se chicaner ? Je suggère qu'on passe l'Halloween tous ensemble.

La proposition de CF a été adoptée à la quasi-unanimité. Jade ne sera pas là car elle a une compétition de gymnastique (ils auraient pu choisir un autre soir que le 31 octobre !). Violette s'était déjà engagée à faire la tournée avec sa voisine et Joey avec son frère. Et Gigi Foster est invitée au party de son cousin. Ce n'est pas moi qui m'en plaindrai ! À part ça, le reste de la 6e B a convenu de passer l'Halloween dans le quartier de l'école qui est aussi le mien.
– Veux-tu venir avec nous, Éléonore ? lui a demandé Marie-Ève.
– Oh, j'aimerais beaucoup. Merci ! Je t'adore !

Si ça continue, cher journal, Éléonore risque de prendre ma place de meilleure amie dans le cœur de Marie-Ève. (Je blague !) En fait, je suis heureuse que les deux anciennes rivales aient mis un terme à leurs hostilités. Et si on peut aider Éléonore à se sentir moins isolée, elle gardera quand même un bon souvenir de l'école des Érables.

Je suis revenue seule, tout à l'heure, parce que Caroline passait la soirée chez Jessica pour préparer un exposé oral. En arrivant dans ma chambre, j'ai ouvert mon sac d'école et en ai sorti le fameux masque. Je l'ai posé sur mon lit. Il était mignon, soit, mais je n'en voulais pas. Sinon, chaque fois que je le verrais, il me rappellerait un mauvais souvenir : comment une distraction de moumou avait dégénéré en une blague à répétition qui me pesait de plus en plus. Pour me remonter le moral, j'ai décidé de me préparer un *milk-shake* à la banane.

Dans un grand bol, j'ai commencé à mixer une banane pelée, une boule de crème glacée à la vanille et un demi-verre de lait. Cannelle s'est enfuie de la cuisine. Elle a toujours eu peur du rugissement du mélangeur. J'ai arrêté celui-ci lorsque la préparation est devenue mousseuse. Ma chienne aboyait quelque part dans la maison. Après avoir versé le *milk-shake* dans un grand verre, je suis partie à sa recherche. En fait, elle se trouvait dans ma chambre et… cette gentille Cannelle qui n'a jamais rien abîmé, pas la moindre pantoufle ni le moindre cochon en peluche, s'acharnait à présent sur le masque de la chèvre, le déchiquetant entre ses dents. Je lui ai ordonné :
– Ça suffit !

Surprise, elle s'est arrêtée net. Puis, elle s'est remise à gronder devant la barbiche de l'infortunée biquette, qu'elle n'avait pas encore réduite en miettes. J'ai expliqué à ma chienne que tout allait bien, qu'il n'y avait aucun danger. Après avoir ramassé les morceaux du masque, je les ai fourrés dans un sac en plastique dont je me suis débarrassé dans la poubelle de la cuisine. Ni vu ni connu.

Soulagée, j'ai embrassé ma brave Cannelle : grâce à elle, je me sentais délivrée d'un mauvais sort.

Oupsie, déjà 17 h 16 ?! Quand je t'écris, cher journal, je ne vois pas le temps passer. Il faut que je te laisse, car dans moins d'un quart d'heure, je suis attendue chez les Bergeron.

Samedi 30 octobre

Avant le dodo, Marie-Capucine m'a réclamé l'histoire de Blanche-Neige. Mais au moins, je n'ai dû la lire qu'une seule fois. Pour en revenir à Blanche-Neige et à son destin, je l'ai peut-être jugée un peu vite, cher journal (je ne sais pas si tu te souviens, mais je l'avais trouvée ingrate de quitter les nains qui l'avaient accueillie pour suivre ce prince). Ce soir, après avoir refermé l'album illustré, j'ai pensé qu'elle n'avait sans doute aucune envie de passer sa vie à faire le ménage et la popote pour Prof, Grincheux, Joyeux, Atchoum, Simplet, Timide et… zut, je ne me souviens jamais du nom du 7e nain ! Déjà qu'au château, la méchante reine la traitait comme une servante… Du coup, je la comprenais. Mais si j'étais à sa place, je me méfierais aussi du rôle de princesse… J'aurais peur d'y perdre ma liberté ; que la vie de château ressemble à une prison, confortable et dorée, bien sûr, mais à une prison quand même. Dans le temps, épouser un beau prince était sans doute le plus grand des rêves pour une jeune fille. Heureusement qu'aujourd'hui, on peut aspirer à un avenir bien plus intéressant ! Moi, plus tard, je ne sais pas si je me marierai. Mais j'aimerais avoir un amoureux tendre et intelligent (Karim… soupir). Et peut-être des enfants. Mais aussi un boulot qui me passionne. Quoi ? Je ne le sais pas encore. Journaliste ? Pourquoi pas ? Je suis bonne en écriture et j'ai envie de voyager. Enfin, j'ai le temps d'y penser.

Mais revenons à nos moutons… Enfin, plutôt, à ma soirée chez les Bergeron… Après le brossage de dents, l'histoire et le pipi, j'ai mis Marie-Capucine au lit (Jean-Sébastien dormait déjà depuis une heure ; un vrai petit ange, celui-là !). Ouf ! Il était 20 h 40 ! J'allais enfin pouvoir me détendre ! J'ai allumé la télévision mais c'était un film d'épouvante. Et à l'autre chaîne aussi. Après avoir éteint le poste de télé, j'ai décidé de faire la vaisselle de notre petit souper (pizza et salade de tomates, qui étaient prêtes et qu'on avait mangées dès mon arrivée). Au-dessus de l'évier, il y a une fenêtre. Et derrière la fenêtre, il faisait nuit noire. Et si quelqu'un m'observait, tapi dans le jardin ? Si un assaillant surgissait, qu'est-ce que je ferais ? Effrayée, j'ai baissé le store.

J'ai sursauté lorsque le moteur du réfrigérateur s'est remis en marche. Alors, pour me donner du courage, j'ai fredonné un air de Lola Falbala. Je lavais le couteau pointu avec lequel j'avais coupé la pizza, tout à l'heure, lorsque j'ai senti qu'on me touchait le dos ! Poussant un couinement de terreur, j'ai fait volte-face, le couteau à la main.

– Pourquoi tu cries ? m'a demandé Marie-Capucine.

– Tu m'as surprise, ai-je répondu, essayant de retrouver ma dignité. Tu ne dors pas encore ?!

– Non, z'ai soif.

– Je vais te donner un peu d'eau.

– Z'ai pas envie d'eau, Alice. Ze veux du zus fraise-kiwi.

Ze veux du zus ! Ze veux du zus !

– Ça n'existe pas.

– Oui, ça existe ! a répondu Marie-Capu comme si j'étais stupide. Il y en a dans le frigo.

Elle avait raison. La fillette a avalé son jus d'un trait.

– Encore !

– Tu es sûre ? Si tu bois trop avant le dodo, tu risques de faire pipi au lit.

– Ze ne suis plus un bébé ! a rétorqué Marie-Capucine d'un air offusqué. Olivia, elle me donnait touzours deux verres de zus !

Je lui ai versé un second verre de « zus » puis ze ah ! zut, JE suis retournée border Marie-Caprices.

C'EST L'HALLOWEEN !

Dimanche 31 octobre

Ce matin, Kyle, qui venait de réussir à défaire les liens qui lui sciaient les poignets, s'acharnait à présent sur le nœud de la corde entravant ses chevilles. S'il voulait avoir une chance de délivrer Kenza avant le retour des voleurs de chevaux, il fallait faire vite… À cet instant, Caro a ouvert les stores. Elle s'est écriée :
– Oh, tout est blanc !

Comment ça, il avait neigé durant la nuit ?! Déposant le livre sur mon lit, je me suis précipitée à la fenêtre. Il y avait du brouillard. Pas une légère brume matinale mais un épais brouillard donnant à notre jardin un aspect fantomatique. On n'apercevait même plus l'habitation de derrière, ni même la haie. Notre maison semblait isolée dans un univers ouaté et silencieux.

On est descendues à la cuisine. Les parents, encore en pyjama, buvaient tranquillement leur café, tandis que Zoé, sous l'œil attentif de notre gourmande de chienne, saisissait une à une les céréales de son bol entre le pouce et l'index avant de les croquer. Papa a dit :
– Vous avez vu la purée de pois, dehors, les filles ! Un vrai temps d'Halloween.

Le sourire aux lèvres, maman a commenté :
– Ça me donne l'impression d'être en Belgique. Plus précisément en Ardenne. Là-bas, en automne, il y a souvent du brouillard quand on se lève le matin. Rien n'est plus beau !

– Tu exagères ! a rétorqué papa. Moi, ça me fait plutôt penser aux accidents de la route qu'il cause. Il y a trois semaines, le carambolage sur l'autoroute 40 a fait trois morts et une dizaine de blessés ! Et tu trouves ça romantique ?!
– Évidemment, a convenu maman, lorsque la visibilité est presque nulle, il est plus sage de rester chez soi que de prendre le volant ! Je reconnais que, la semaine, du coup, ce n'est pas évident. Mais un dimanche comme aujourd'hui, ou alors pendant les vacances… se lever en plein brouillard, c'est le bonheur total !

L'enthousiasme de maman n'avait pas convaincu mon paternel. Il a rétorqué :
– Eh bien moi, mon cœur, en vacances, je préfère de loin le soleil au brouillard !

On a tous éclaté de rire, maman y compris ! Sacré moumou, va !
– Si tu n'existais pas, je t'inventerais, ma belle Astrid ! a déclaré papa.

Me rappelant soudain que je n'avais pas encore touché mot à mes parents de la soirée d'Halloween des 6e B, j'ai profité de ce moment pour les mettre au courant. Ils étaient d'accord. Jusqu'au moment où ma mère a posé la question fatidique :
– Qui vous accompagnera ?

J'ai fait l'innocente.
– Oh, les 2 Catherine, Africa, Eduardo, Patrick, Hugo…
– Je veux dire : leurs parents seront-ils là ?

– Pas du tout. On a tous 11 ou 12 ans, maman !

Je déchantais. Je me voyais déjà avec moumou poussant la poussette de Zoé derrière nous. Et nous donnant des indications pour traverser la rue… C'est vrai que l'an dernier, elle avait déclaré qu'avant le secondaire, elle ne me laisserait pas faire la tournée sans parent.

Maman s'est adressée à Caro :

– Je vais prévenir la mère de Jessica que je ne pourrai pas vous accompagner…

– Tu m'avais pourtant promis que tu viendrais ! lui a reproché ma sœur.

– Écoute, il faut bien escorter Alice et ses amis. À moins que… pourrais-tu t'en charger, Marc ?

– Non, Astrid, cette année, je distribue les bonbons.

J'ai senti les larmes me monter aux yeux.

– Tu veux gâcher ma fête d'Halloween, maman ! Eh bien, si c'est comme ça, je n'irai pas !

Me mettant à pleurer, je me suis levée d'un coup. J'allais m'élancer vers l'escalier quand mon paternel m'a rattrapée par le bras.

– Reste ici, ma puce. Écoute, Astrid, a-t-il dit, selon moi, Alice et ses amis sont assez grands pour se passer de nous…

Il a habilement plaidé ma cause. Deux minutes plus tard, moumou avait capitulé. Après avoir écouté patiemment le rappel de touuutes les règles de sécurité qu'on avait déjà revues en classe, vendredi, je l'ai rassurée.

– Je suis une fille responsable, maman. Je te promets que je serai prudente.

Merci poupou !

Après le déjeuner, j'ai terminé la lecture de mon roman. Ouf, il se finissait bien. Mais Kenza et Kyle avaient eu chaud ! (Et du coup, moi aussi.)

Peu à peu, le brouillard s'est levé. Caro et moi, on a préparé 100 petits sacs de friandises que papa distribuera ce soir aux enfants déguisés qui sonneront à notre porte.

Vers 13 h 30, papa et Zoé sont montés pour la sieste. Maman, Caro et moi, on s'est enfermées dans la cuisine.

Opération évidage et décoration de citrouilles.

À 15 h 35, on a placé nos « œuvres » sur le perron. Après une collation, maman est partie chez Jessica avec sa coccinelle et sa citrouille. Moi, j'avais à peine fini de me métamorphoser en épouvantail qu'on a sonné. Cette fois-ci, ce n'était pas Sabine Weissmuller mais une mariée cadavérique (pile à l'heure), accompagnée de sa mère. Cette dernière avait merveilleusement maquillé Marie-Ève. Elle avait du bleu autour des yeux, de longs cils noirs, deux fins sourcils dessinés assez haut sur le front, et des lèvres mauves. Avec sa robe blanche en dentelle (portée par-dessus un chandail blanc à col roulé et des leggings blancs), son voile et sa couronne de fleurs, on aurait vraiment dit le personnage du film de Tim Burton.

La mère de Marie-Ève, qui avait apporté tout son matériel, a commencé à me maquiller dans la cuisine. Quelques minutes plus tard, elle a dit :
– Et voilà, Alice ! Tu peux aller te regarder dans le miroir. Dis-moi si ça te convient.

Quand je me suis aperçue, je me suis exclamée :
– Wow ! Un tout grand merci, Stéphanie !

Papa était vraiment impressionné, lui aussi, et m'a prise en photo en compagnie de Marie-Ève. Sa mère est la meilleure maquilleuse que je connaisse ! (D'accord, cher journal, je ne connais qu'elle, mais quel talent !)

Bon, il était plus que temps d'aller retrouver nos amis. La décoration devant la maison de Catherine Frontenac était spectaculaire ! Il y avait 5 citrouilles, placées de façon telle que leur queue leur tenait lieu de nez. Super original ! Chaque citrouille sculptée affichait une émotion différente (la ravie, la furieuse, la cruelle, la timide et l'effrayée).
– Léa a déniché un livre de décoration de citrouilles au *Big Bazar*, nous a expliqué Catherine Frontenac. On y a passé toute la journée d'hier, elle, Laurie et moi.
– Trop *cool* ! a lancé Audrey.
– Top méga *chill* ! a renchéri Stanley.

En attendant Emma, on a admiré nos déguisements respectifs.
– Jade vient de m'envoyer un texto ! s'est exclamée Africa.

Elle nous l'a lu : « Amusez-vous bien ! Moi, je suis déguisée en... gymnaste (blague). La compétition débute dans quelques minutes. Pensez à moi ! Afri, prends des photos et tu me les montreras demain. D'ac ? »

Africa lui a répondu en lui souhaitant bonne chance de notre part à tous.

– Je me demande si Karim fête l'Halloween à Beyrouth, a dit Bohumil.

– Hic, ai-je fait.

Zut, le hoquet ! Re-hic.

– Je vais aller te chercher un verre d'eau, s'est écriée CF en se précipitant vers la porte d'entrée de sa maison.

Pendant que je buvais, Emma est arrivée et je suis donc partie en compagnie :

✔ d'une grappe de raisins (Emma : elle avait collé des ballons mauves sur un sac poubelle qu'elle avait fendu en haut et sur les côtés pour passer sa tête et ses bras. Au cou, elle portait une feuille de vigne découpée dans du papier vert. Très réussi !)

✔ de la mariée cadavérique

✔ d'une fille toute de noir vêtue au maquillage gothique (Audrey)

✔ d'un assassin de Crocolatos (Hugo, tenant à la main un grand couteau – en plastique, je te rassure, cher journal – rougi et vêtu d'un tablier blanc maculé de « sang » sur lequel était agrafé un devant de boîte de céréales. Autour, il avait dessiné des Crocolatos qui affichaient des mimiques de panique. Je lui décernerais sans conteste le 1er prix d'originalité. Je n'ai pas pensé à le demander à Hugo mais vu la thématique de son déguisement, il est possible que lui aussi ait une « écœurite » aiguë de ces céréales…)

- ✔ de Marylin Monroe (Éléonore, chic dans sa robe blanche, les chaussures à talon de sa mère et sa perruque blonde bouclée)
- ✔ d'un savant fou (Bohumil)
- ✔ d'un Dr Zombie (Stanley)
- ✔ d'un Petit Chaperon rouge (Africa)
- ✔ d'un Grand Méchant Loup (Kelly-Ann)
- ✔ de Cat Woman (Catherine Provencher)
- ✔ d'une cannette de Citrobulles (Catherine Frontenac)
- ✔ du commandant Jordan Cooper (Mathis Lafontaine, de 6e A)
- ✔ de Zébulon Zarchinul (Eduardo : bien pensé ! Deuxième prix d'originalité !)
- ✔ et enfin d'un squelette (Patrick, qui portait le costume moulant noir qu'il avait acheté, sur lequel était imprimé une ossature phosphorescente. Son visage, lui, était maquillé en tête de mort).

Hic.............. Hic, mon hoquet était revenu en force.

Le squelette qui marchait devant moi s'est retourné, les yeux exorbités et le visage déformé par l'effroi. De sa bouche grande ouverte est sorti un **huuurlement** de pure terreur. Tandis que mon sang se figeait dans mes veines, Eduardo a fait un saut et Marie-Ève a poussé un cri de souris. Tout le monde s'est mis à parler en même temps :

– Qu'est-ce qui te prend, Pat ?!

– Tu as mal où ?
Éléonore s'est plainte :
– Ne fais plus jamais ça, Patrick Drolet ! J'ai failli devenir sourde.
– Et moi, tu m'as flanqué une de ces frousses ! lui ai-je dit à mon tour.
– Justement, c'était le but.
– Tu cherches à nous faire peur parce que c'est l'Halloween ?!
– Non, ça n'a rien à voir. Je voulais simplement te venir en aide, Biquette.
– Comment ça ????!
– Faire peur à quelqu'un qui a le hoquet est le moyen le plus efficace de faire disparaître celui-ci.

Eh bien, crois-le ou pas, cher journal, son truc a marché : mon hoquet avait disparu. Cependant, j'ai fait promettre à Patrick de ne plus recommencer, car il risquait de le regretter si mon cœur flanchait. D'accord, je n'aurais plus jamais le hoquet. Mais, léger inconvénient, je serais étendue sur le trottoir. Morte. **UNE VRAIE SCÈNE D'HALLOWEEN !**

On est passés par la rue de Gigi Foster. Devant sa maison, il y avait une pancarte *À vendre*. Hein ! Heureusement, pas de JJF en vue : elle était en tournée dans un autre quartier.

Un quart d'heure plus tard, on est arrivés au 42, rue Isidore-Bottine. Pendant que mon père nous donnait les quelques sacs de friandises qui lui restaient, maman est arrivée, poussant la poussette vide (et sans sa coccinelle, qui avait poursuivi la tournée avec Jessica et sa mère, j'imagine). À ses côtés trottinait une mini-citrouille.

– Ayisss ! s'est-elle exclamée en me reconnaissant.

– C'est Zoé ? s'est écriée Catherine Provencher. Elle est à croquer dans son petit costume !

Quand elle a vu nos « cucurbitacées » éclairées de l'intérieur par des bougies, notre Zouzou chérie est restée bouche bée.

– *Cé* beau ! a-t-elle fini par déclarer, émerveillée.

Puis notre groupe est reparti.

Madame Baldini s'est extasiée sur mon déguisement et celui de mes amis. Elle nous a offert des sacs contenant des chocolats.

– Si on s'arrêtait là, a proposé Marylin Monroe qui avait commencé à boiter (elle avait des ampoules aux pieds).

Audrey a répondu :

– Avant de retourner chez Catherine Frontenac, j'aimerais passer par la maison derrière chez Alice.

– Pourquoi ? a demandé Hugo. Qu'est-ce qu'elle a de spécial ?

Je lui ai expliqué :

– J'ai entendu des plaintes et des cris provenir de là, l'autre soir. Et, à deux autres reprises, j'ai aperçu la lumière d'une des chambres qui s'allumait et s'éteignait sans arrêt.

– Une vraie maison hantée ! s'est exclamée Catherine Provencher. Voilà ce qu'il nous faut pour terminer cette tournée d'Halloween. Allons-y !

Le terrain de l'habitation de la rue de Salm était décoré avec des pierres tombales et une main suppliante qui surgissait du gazon. J'étais curieuse de découvrir qui étaient les inconnus qui vivaient derrière chez nous. Seule, je ne serais pour rien au monde allée sonner là-bas. Mais, au nombre que nous étions, il ne pouvait rien nous arriver. L'homme avec une tignasse blonde qui nous a ouvert nous a souhaité une joyeuse Halloween avec un drôle d'accent. Puis, il a plongé sa main dans un bol rempli de bonbons en nous faisant un large sourire. Horreur absolue ! Ses dents étaient maculées de taches d'un rouge presque noir. « Du sang coagulé », ai-je pensé. Marie-Ève avait dû s'en apercevoir elle aussi car elle a murmuré : « C'est un ogre ! » et elle a dévalé l'escalier, suivie par Catherine Frontenac qui a couiné : « Sauve qui peut ! » avant de se mettre à rire nerveusement. Pendant qu'Audrey et moi, on descendait les marches derrière elles, Eduardo nous a lancé : 
– Bande de peureuses ! C'est une mise en scène pour l'Halloween !

Le reste de la troupe nous a rejointes quelques mètres plus loin. Un Na'vi (personnage du film *Avatar*) et un gladiateur ont traversé la rue. Reconnaissant ce dernier, Marie-Ève l'a salué :

– Bonsoir, Petrus.
– Bonsoir, Marie-Ève, bonsoir à tous. Vous avez…

Lui coupant la parole, celui qui portait un masque bleu s'est exclamé :
– Tu es tellement belle, Marie-Ève !

La mariée cadavérique a rosi sous son maquillage blanc.
– Oh, c'est toi, Simon ?! Merci !

On s'est raconté notre soirée. Au moment où on allait se séparer, Audrey, désignant la maison « hantée » d'où on s'était enfuies, a averti Simon et Petrus.
– N'y allez pas ! Elle est maudite !
– Comment ça ?! a fait Petrus, interloqué.
– C'est un sadique qui nous a ouvert !!! a renchéri Catherine Frontenac.

Notre ami de 6e A a rétorqué :
– Il n'y a ni ogre ni sadique chez moi.
– Tu veux dire que… c'est ta maison ?! me suis-je exclamée, aussi surprise que confuse.
– Oui.
– Écoute, on n'a rien inventé, a dit Marie-Ève. L'homme qui nous a ouvert avait les dents sanguinolentes.
– Le seul homme qui vit là est mon père, a déclaré Petrus. Attendez un instant, je vais éclaircir ce mystère.

On s'est massés devant les escaliers menant au perron de sa maison. À l'instant où Petrus a ouvert la porte, on a entendu une longue plainte à l'intérieur.
– Tu vois, s'est énervée Audrey. Ta maison est hantée !
– Mais non, c'est juste mon frère.

Marie-Ève et moi, on s'est regardées.

Sans le moindre tact, Patrick a demandé :

– Il est fou, ton frère ?

– Non, il n'est pas fou mais il est autiste.

– Oh, excuse-nous ! a dit Africa.

J'ai pris la parole.

– Je suis désolée, Petrus. J'habite juste derrière chez toi, rue Isidore-Bottine.

Je lui ai parlé des phénomènes inexpliqués que j'avais observés et entendus.

– Alors, je m'étais imaginé…

Petrus m'a interrompue.

– Tu vis dans la maison derrière la haie de mon jardin, Alice ? Je ne le savais pas. C'est vrai que mon frère Willem joue souvent avec l'interrupteur de sa chambre. Et qu'il crie et émet d'autres sons.

– Il souffre ? a demandé Simon.

– Non, c'est sa façon à lui d'exprimer ce qu'il ressent.

– Il ne parle pas ?

– Oui, un peu. À l'école et aussi à la maison, on lui apprend à nommer les choses.

– Désolée pour le malentendu, ai-je dit.

– Pas de problème, a répondu Petrus. J'ai l'habitude d'expliquer la différence de mon frère aux autres.

L'ogre, enfin, je veux dire le monsieur qui nous avait ouvert la porte tout à l'heure et qui nous avait effrayées, est réapparu sur le seuil. Petrus nous a présentés :

– Ce sont mes amis d'école, papa. Éléonore, Simon et Mathis sont dans ma classe. Les autres se trouvent en 6e B.
– Ah, c'est vous qui vous êtes enfuis, tout à l'heure ? a constaté le père de Petrus avec un regard un brin moqueur. Je ne me nourris jamais de chair fraîche. Même pas le jour de l'Halloween.
– Justement, Marie-Ève vous avait pris pour un ogre ! a répondu Audrey. Parce que vous aviez la bouche pleine de sang.

Ma meilleure amie a foudroyé Audrey du regard.
– Celle-là, il faut toujours qu'elle mette les pieds dans les plats, m'a soufflé Catherine Provencher à l'oreille.

Les dents du père de Petrus étaient maintenant d'un blanc immaculé.
– Je suis navré de vous avoir fait peur, a dit celui-ci. Tout ça à cause du muffin aux bleuets que je venais de manger quand vous avez sonné ! Avec les bleuets, on a la bouche toute noire. Après que vous avez filé sans explication, je suis allé me brosser les dents. Au fait, je m'appelle Theo. Heureux d'avoir fait votre connaissance.

Il a glissé une poignée de sucettes multicolores dans les sacs des peureuses qui n'en avaient pas encore reçues (dont moi !). Tout s'éclairait. La lumière qui clignotait. Les cris dans la nuit. Le frère de Petrus qui donnait la main à sa mère dans la rue. L'homme aux dents rougies. Ces mystères étaient résolus. L'habitation derrière chez moi n'était pas hantée. C'était la maison de Petrus. Qui avait un frère qui criait parfois et produisait différents sons. Mais, puisqu'il était autiste, sa famille était habituée à ces comportements.

Nos sacs remplis de bonbons, on est retournés chez Catherine Frontenac. Plusieurs restaient pour regarder un film. J'avais très envie de poursuivre la soirée avec mes amis. Mais, tu le sais, cher journal, je suis sujette aux cauchemars. Les films d'horreur, où un détraqué attaque ses voisins à la tronçonneuse, c'est très peu pour moi ! Bref, j'ai appelé mon père qui est venu me chercher. Marie-Ève, Audrey, Éléonore et Bohumil rentraient eux aussi chez eux.

Lundi 1er novembre

En cette nuit d'Halloween, cher journal, même si je n'avais regardé aucun film d'épouvante, j'ai quand même fait un cauchemar. Dans mon rêve, je venais de trouver Grand-Cœur inanimé sur le perron. Terriblement inquiète, je l'ai pris dans mes bras. Il était comme une guenille noire, molle et sans vie. Le choc que j'ai ressenti m'a réveillée. Je me suis alors souvenue que mon chat était mort. Même si cette catastrophe date déjà du 20 avril dernier, il me manque encore mon bon pacha de chat… Le cœur serré, j'ai mis du temps à me rendormir.

À l'école, Jonathan était absent. C'est lors de journées « calmes » comme aujourd'hui qu'on s'aperçoit combien notre ouragan prend de la place en classe.

Après le souper, Caroline m'a demandé :
– On joue au magasin avec notre récolte d'Halloween, Alice ?

Je trouvais ça un peu bébé, comme activité. Mais pour faire plaisir à ma sœur, j'ai accepté. On est allées chercher nos deux sacs dans la garde-robe de notre chambre. Et on s'est installées sur la table de la salle à manger. Chacune de son côté, on a commencé à classer notre butin. Je me suis vite prise au jeu. Moi, j'avais récolté :

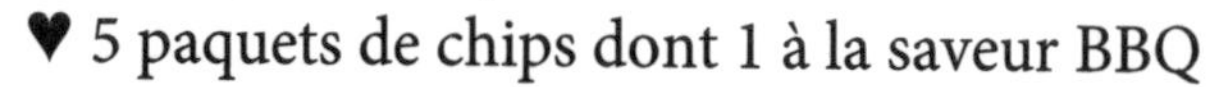

- ♥ 5 paquets de chips dont 1 à la saveur BBQ
- ♥ 2 paquets de bretzels

- ♥ 21 bonbons
- ♥ 9 sucettes
- ♥ 17 gommes
- ♥ 5 guimauves
- ♥ 14 chocolats, etc.

Ensuite, tout en suçant des « lacets » de couleurs fluo, Caro et moi, on a procédé à des échanges. C'est pratique parce qu'elle raffole de ce que j'aime le moins et vice versa. C'est ainsi que j'ai troqué 7 caramels et 2 chocolats au beurre d'arachide contre 6 réglisses et 3 chocolats à la menthe (comment est-il possible de ne pas aimer le chocolat à la menthe ???). Ayant réalisé que ce que nous manipulions était comestible, Cannelle, assise à côté de la table, surveillait les opérations. Ses yeux brillaient de convoitise. Puis, voyant qu'on ne lui offrait rien, elle a commencé à mendier en poussant un gémissement de victime. J'ai failli craquer mais, comme j'adore ma chienne, j'ai résisté. Car je sais que le chocolat, les bonbons et compagnie, c'est mauvais pour les chiens.

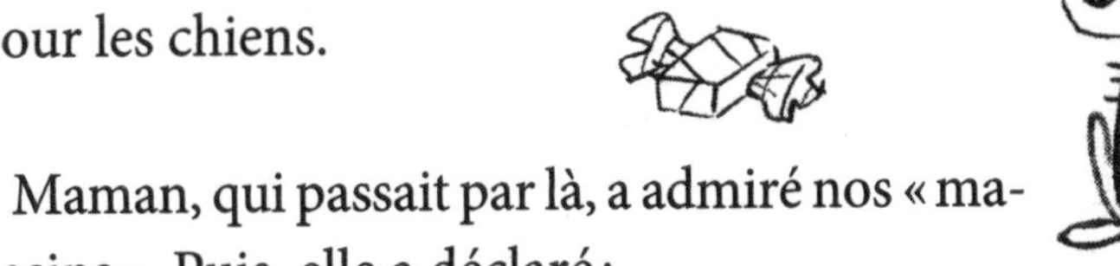

Maman, qui passait par là, a admiré nos « magasins ». Puis, elle a déclaré :

– Faites attention de ne rien laisser traîner, les filles ! Il ne faudrait pas que Prunelle s'étouffe avec un bonbon ou un bretzel ! Et je te signale, Ciboulette, qu'il est temps de monter te coucher. N'oublie pas, avant, de te brosser soigneusement les dents. Ça vaut pour toi aussi, Biquette.

Alors, à regret, on a tout remballé dans nos sacs respectifs. En passant, cher journal, depuis que Patrick me harcèle en m'appelant Biquette, je ne supporte plus ce surnom. Même si c'est ma petite maman qui le dit gentiment.

Mardi 2 novembre

Jonathan n'était toujours pas là. Il avait dû attraper un rhume le soir de l'Halloween. Bohumil a dit qu'il lui téléphonerait pour prendre de ses nouvelles.

Cet après-midi, en rentrant de l'école, on a vu Rosa Baldini. Comme à chaque automne, elle remisait ses nains de jardin. Notre voisine nous a reparlé de nos costumes d'Halloween. Caro a commencé à lui raconter sa tournée dans les détails, mais moi, j'avais une envie pipi.
– Je vous laisse, ai-je expliqué, car j'ai quelque chose d'urgent à faire. Bonne fin de journée, madame Baldini !
– Merci Alice ! À la prochaine.

J'ai pressé le pas jusqu'à la maison. Devant notre porte, il y avait un sac en plastique noir. Qu'est-ce que ça pouvait bien être ? Dedans, je n'y ai vu que du noir. En plongeant ma main, j'ai touché… un doux pelage ! Mon cauchemar était devenu réalité ! Ce sac contenait le cadavre de mon chat !!! Horrifiée, je l'ai laissé tomber et j'ai commencé à pleurer convulsivement. Quelqu'un avait déterré Grand-Cœur !

Caroline, qui arrivait, est accourue :
– Qu'est-ce qui se passe, Alice ?!

Grimpant les marches de l'escalier deux à deux, elle s'est arrêtée net quand elle a aperçu le sac sur le sol. Puis, avant que j'aie eu le temps d'intervenir, elle en a extirpé son macabre contenu. Brandissant la fourrure sombre d'un air victorieux devant mes yeux éberlués, elle s'est écriée :
– Super, il est fiable !

Qui ? Que ? Quoi ? Quand ? Comment ?!!!!!!!!

Ma sœur m'a expliqué :
– C'est le costume de gorille de Jimmy. Je l'admirais, l'autre soir, alors il m'avait promis qu'il me le donnerait. Après l'école, il a dû le déposer en auto avec sa mère. Comme Jimmy est plus grand que moi, ce costume m'ira parfaitement dans un an. Le 31 octobre prochain, Alice, tu auras une sœur gorille !

Encore secouée par ma méprise, je décompressais. Dans *Je m'appelle Élisabeth,* le premier roman-récompense que madame Robinson nous a lu cette année, les deux gars cruels qui avaient placé une tête décapitée d'écureuil sur le rebord de fenêtre de la chambre de Betty auraient été capables, eux, d'exhumer Grand-Cœur et de déposer sa dépouille dans un sac, à ma porte, pour me terroriser. Heureusement que dans notre classe, on n'a personne d'aussi méchant qu'eux ! Mon chat continue à reposer en paix au fond du jardin. D'ailleurs, six mois après sa mort, sa fourrure ne doit plus être intacte… Bon, je refuse de m'imaginer Grand-Cœur en décomposition ni sous la forme d'un squelette. Ce n'est pas ce genre d'image que je souhaite conserver de lui. Et je n'ai aucune envie de faire d'autres cauchemars. Alors, je décide dans ma tête que pour moi, mon chat bien-aimé sera toujours aussi beau que du temps où il était en bonne santé, avec ses yeux brillants et sa fourrure noire douce et chaude.

Lorsque j'ai ouvert la porte, je n'ai pas entendu, comme à l'accoutumée, les griffes de Cannelle patiner sur le plancher pour venir nous saluer. Étrange. Je l'ai appelée. Rien. Soudain, j'ai perçu un vague « mwouf » qui provenait d'en haut. Laissant tomber nos manteaux et nos boîtes à lunch à terre, Caro et moi, on s'est précipitées dans l'escalier. Ma sœur, qui a débarqué la première dans notre chambre, a poussé un cri. Quel désastre ! Le contenu de mon sac d'Halloween était éparpillé sur le plancher ! Du moins, ce qu'il en restait. Les sacs de chips étaient éventrés. Et le sol, jonché de papiers mâchouillés. Cannelle avait dévalisé mes friandises.

Mal à l'aise, la coupable était tapie sous mon bureau. Je lui ai demandé de sortir de là. Elle s'est exécutée de mauvaise grâce, la tête basse. Elle sentait… les caramels à l'érable ! Je lui ai expliqué que ce n'était pas bien (elle le savait parfaitement). Mais je ne l'ai pas punie car, après tout, c'était de la faute à qui, tout ça ? Qui était la distraite qui avait oublié de refermer la porte coulissante de la garde-robe, ce matin ? Il faut assumer ses erreurs, cher journal. Alors, aidée par ma sœur, j'ai récupéré les rares bonbons intacts et jeté le reste. Caroline m'a généreusement offert de partager ses friandises.

– Tu peux en prendre quand tu veux, Alice.

– C'est vrai ?! Oh merci ! Tu es la sœur la plus adorable de tout le Québec !

– La plus adorable du monde, tu veux dire ! a-t-elle repris en souriant.

Caro est généreuse, cher journal, mais la modestie ne l'a jamais étouffée. Hi, hi !

20 h 39. Ce soir, j'étais inquiète pour la santé de Cannelle qui se traînait, le ventre ballonné et l'haleine lourde. À l'heure du souper, au lieu de s'asseoir, vigilante, entre Caro et moi, elle a bu beaucoup d'eau avant de s'affaler devant le lave-vaisselle.

Une demi-heure plus tard, dans la chambre des parents, Samantha Wilson venait d'apparaître sur l'écran quand ma chienne, étendue au pied du lit, s'est mise à péter.

– Tu pues, Cannelle ! ai-je fini par lancer.

La mettant dehors, j'ai refermé la porte.

– Entrouvre la fenêtre pour aérer la chambre, m'a demandé maman.

Après l'émission, j'ai retrouvé la voleuse de bonbons sur mon lit. Ouache, ça empestait ici aussi ! J'ai toujours entendu dire qu'un chien en bonne santé a la truffe humide, cher journal. C'est son cas. Au moins, ça me rassure.

Mercredi 3 novembre

Ce matin, Cannelle semblait remise de son orgie de sucreries. Fiou ! Mais j'ai un autre sujet de préoccupation : Jonathan. Il était de retour en classe. Enfin, pas vraiment lui mais son clone. Car ce gars-là, complètement éteint, n'avait plus rien d'un ouragan.
– Joey est K.-O., a constaté Eduardo en descendant l'escalier à la fin de la journée.
– T'as raison, a renchéri Patrick. Complètement amorphe ! À mon avis, on a changé sa médication.
– J'espère que le médecin va la réajuster, a dit Africa. Sinon, il va prendre du retard. Bon, moi, je m'en vais à la rencontre qu'organise madame Pescador pour former l'équipe de *L'Écho des érables.* À demain, les amis !

Dans les escaliers, j'ai croisé ma sœur, très fière de grimper jusqu'au 3e étage. Car elle aussi se rendait à la réunion. Moi, comme mes parents me l'avaient demandé, je suis allée l'attendre à l'étude en compagnie de Marie-Ève (je te rappelle, cher journal, que ce soir ma meilleure amie soupe chez nous ! Yé !).

On avait tout juste terminé nos devoirs quand Caroline est venue nous chercher. Elle était hyper enthousiaste. Sur le chemin du retour, elle nous a parlé de « son » futur journal. Il paraît que Patrick, Bohumil et Violette font partie de l'équipe, eux aussi. Le clown de la 6e B s'est engagé à fournir 4 blagues par parution. Et Bohu est chargé de créer des sudokus. Africa, elle, illustrera certains articles avec ses photos. Et Violette avec ses dessins.

En rentrant à la maison, Marie-Ève et moi, on est directement allées à l'ordinateur pour jeter un coup d'œil au site de notre chanteuse préférée. J'allais cliquer sur lola-falbala.com lorsque j'ai remarqué un nouveau message dans ma boîte de réception. Du collège Jean-Paquin ! Le cœur battant, je l'ai ouvert :

De : Collège Jean-Paquin
À : Alice Aubry
Envoyé le : 3 novembre
Objet : Résultats de l'examen d'admission

Bonjour Alice,

Le collège Jean-Paquin a le plaisir de t'annoncer que tu as satisfait aux exigences de l'examen d'admission. Réputée pour l'excellence de son enseignement et sa communauté étudiante dynamique et engagée, notre école t'ouvrira donc grand ses portes à la prochaine rentrée. Nous serons heureux de te compter parmi nos élèves de secondaire 1. Félicitations et bienvenue au collège !

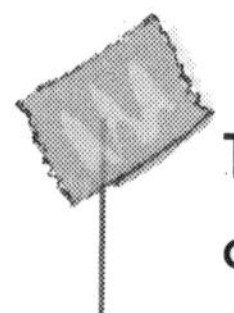

Tes parents recevront prochainement une enveloppe contenant le formulaire d'inscription ainsi que divers documents d'information.

Avec mes meilleurs sentiments,
Florence Gagnon
Directrice du collège

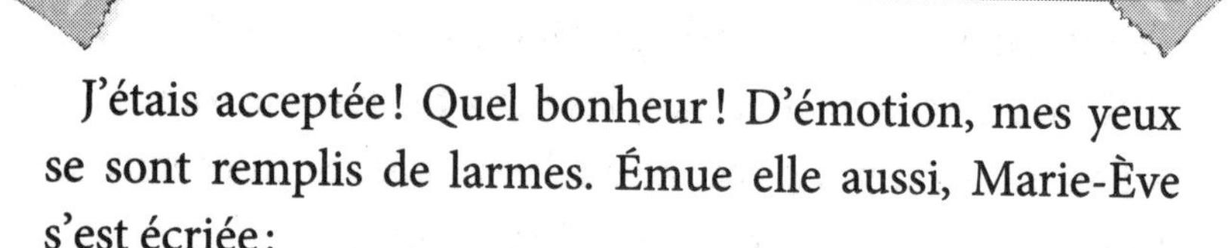

J'étais acceptée ! Quel bonheur ! D'émotion, mes yeux se sont remplis de larmes. Émue elle aussi, Marie-Ève s'est écriée :

– Hein, c'est trop cool ! Bravo, Alice !

Caroline est accourue aux nouvelles.

– Qu'est-ce qui se passe ?

Une drôle de petite voix est sortie de ma bouche.

– Je suis admise à l'école secondaire !

– J'espère bien ! a lancé ma sœur.

Puis, voyant que j'étais un peu refroidie par sa réaction, elle a ajouté :

– C'est super, Alice ! Mais pour moi, ce n'est pas une surprise. J'étais certaine que tu réussirais.

– Oh, merci Caro ! Tu es trop chou !

– C'est un privilège, pour ce collège, de te compter parmi ses futurs élèves, a-t-elle ajouté d'un ton solennel. Ils ont vraiment de la chance !

Là, ma sœur beurrait épais, cher journal. Mais je ne le lui ai pas dit pour ne pas lui faire de peine. Car sa remarque est quand même hyper gentille.

Elle a clamé :
– Papa, maman, Alice a réussi !

Accourant dans le bureau, mes parents m'ont embrassée et m'ont chaudement félicitée.
– Je le savais, je le savais, répétait papa.
– Le collège Jean-Paquin, c'était mon premier choix, leur ai-je dit. Du coup, est-ce que je suis obligée de passer l'examen, samedi, au collège Marie-des-Neiges ?
– Non, Alice, a dit maman, les yeux brillant de joie.
– Pas du tout, ma puce, a renchéri papa. Si tu es sûre de ton choix, nous t'inscrirons à Jean-Paquin.

J'étais à la fois soulagée, hyper heureuse et fière de moi. Ma meilleure amie, elle, était en train de pitonner sur son iPod.
– Je veux voir si j'ai réussi, moi aussi.

Un instant plus tard, elle s'est exclamée :
– J'ai reçu le même message que toi, Alice !

Poussant un cri de bonheur, on est tombées dans les bras l'une de l'autre.

Après quelques minutes, Marie-Ève est revenue sur terre.
– Je dois convaincre maman de m'inscrire là plutôt qu'à la polyvalente de Laval. Je ne peux pas attendre ce soir pour lui en parler. Oh… j'espère qu'elle prendra mon appel, même si elle travaille ! a-t-elle dit en composant fébrilement le numéro du cell de Stéphanie Poirier.

Marie-Ève a obtenu sa mère tout de suite.

– J'ai très envie d'aller là, maman. Alors, tu verras, j'étudierai bien.

– … …… …

– Tu te rappelles qu'à la journée portes ouvertes, la directrice de l'école a précisé que plusieurs autobus scolaires transportaient les élèves de Laval matin et soir.

– … ……… … ………… … ……… …… … ……… …
……… …

– Génial, ma petite maman ! Merci de me faire confiance. Je lui téléphone. À tout à l'heure !

– Elle est d'accord ?!

– Oui, elle m'a dit : « Bon, je vois que tu es déterminée, Marie-Ève. Alors, si ton père accepte, nous t'inscrirons là-bas. »

Ma meilleure amie a aussitôt appelé son papa sur son cell.

– Bonjour…, a-t-elle fait d'un air surpris. Euh, excusez-moi, je voulais parler à Frédéric Letendre mais j'ai dû me tromper de numéro.

– … ……… … ………… … ……… …

– Je suis sa fille.

– … ……… … ………… … ……… …… … ……… …

– Ah oui ?! Bon, d'accord. Merci madame.

Et Marie-Ève a raccroché. Elle avait composé le bon numéro. Mais comme son père se trouvait au volant de sa voiture, il ne pouvait pas répondre. C'était une femme qui avait décroché à sa place. Elle avait promis qu'il la rappellerait 5 minutes plus tard, lorsqu'ils seraient arrivés.

– Ton père a une amoureuse ?!
– Mais non, Alice, c'est sans doute une amie ! s'est défendue Marie-Ève. Ou une collègue.

Lorsque son père a rappelé, c'est ce qu'il a dit à Marie-Ève : qu'il raccompagnait sa collègue chez elle, après une longue réunion au bureau. Le principal, c'est qu'il était ravi que sa fille ait réussi l'examen et d'accord pour l'envoyer à Jean-Paquin. Ce qui signifie que ma *best* et moi, on passera encore 5 ans dans la même école !

C'est un des plus beaux jours de ma vie, cher journal ! ☺

Jeudi 4 novembre

En arrivant dans le gymnase (il ventait trop fort pour rester dans la cour ce matin), j'ai trouvé mes amis en grande discussion. Le sujet ? Je te le donne en mille, cher journal : qui fera sa prochaine rentrée à Jean-Paquin...

- Kelly-Ann, Bohumil, Stanley, Éléonore, Brianne, Billie et Ilhan ont été acceptés. Yé !
- Patrick est 35e sur la liste d'attente, et la pauvre Audrey, 99e.

« D'après moi, vous avez de bonnes chances, a commenté Catherine Frontenac. La sœur de l'amoureux de Léa était 128e sur la liste d'attente, et elle a reçu sa confirmation au courant de l'été. »

- Catherine Provencher est acceptée, mais comme elle a adoré sa visite au collège Marie-des-Neiges, elle ira y passer l'examen après-demain.

Aujourd'hui, madame Robinson nous a demandé ce qu'on savait des mammouths.

Violette a levé le doigt.

– Ce sont les ancêtres des éléphants.

– Pour être exact, ce sont les cousins des éléphants, a rectifié la prof. Ces grands mammifères qui vivaient à la préhistoire étaient couverts d'une épaisse fourrure brune afin de se protéger du froid car ils vivaient à une période de glaciation.

– On le sait, a lâché Stanley. On a tous vu *L'ère de glace*.

– Moi pas, a répliqué Emma. C'est quoi « l'ère de glace » ?

C'est alors qu'a retenti une longue pétarade. On aurait dit le peutpeutpeut que fait la Harley Davidson qui passe parfois dans la rue de l'école à la belle saison. Sauf que là, on était presque en hiver et que les fenêtres étaient fermées.

Ça pue !

– Patrick, tu as pété ! s'est exclamée Jade, offusquée.

Ça pue !

– Un vrai pet de mammouth ! a ajouté Hugo en se bouchant le nez.

Ça pue !

Plusieurs ont éclaté de rire. Insensible à l'air vicié, notre enseignante a continué sa leçon.

– On ouvre la fenêtre, madame ? ai-je proposé, à moitié asphyxiée.

Elle a accepté. En revenant à ma place, j'ai aperçu Jonathan. La bouche ouverte, il avait l'air complètement hébété.

Patrick a raison : plus *vedge* que ça, tu meurs ! Ce n'est pas normal !

À la récré, j'attendais Marie-Ève sous l'érable (elle était passée aux toilettes pour s'asperger le front au lavabo, car l'odeur écœurante qui régnait en classe lui avait donné un mal de tête). Les assauts du vent avaient dépouillé ce qui restait de feuilles à notre arbre. Sauf une. Alors que, le nez en l'air, j'observais la feuille rouge qui résistait vaillamment, Patrick est arrivé, suivi par Eduardo. D'une voix chevrotante, Pat a fait :
– Bêêêêêêê…
– Quoi, bêêê ? ai-je demandé avant de réaliser qu'il se moquait une fois de plus de Biquette Aubry. Je n'ai pas eu le temps de lui lancer : « Ah non, tu ne vas pas recommencer ! » qu'il m'a fait une révérence en disant :
– Patrick le bouc te salue.
– Le bouc qui pue ! n'ai-je pu m'empêcher de riposter.
– La biquette qui pète ! a-t-il rétorqué du tac au tac. Si Patrick le bouc et Alice la biquette ont un bébé, plus tard, comment s'appellera ce chevreau ?
– Voyons donc, jamais je n'aurai d'enfant avec toi ! ai-je crié, horrifiée.
– Ils le nommeront Prout ! a continué Patrick d'un air réjoui.
– Espèce de… espèce d'œuf ! ai-je réussi à balbutier, à défaut d'avoir trouvé mieux.

Catherine Provencher, que mes éclats de voix avaient alertée, lui a lancé :

– Pat, tu ne vois pas qu'Alice en a soupé de ta Biquette ! Lâche-la, à la fin. Je comprends que ce n'est pas facile d'avoir un père au chômage mais ça n'excuse pas tout !

CP était super d'avoir pris ma défense. Mais si tu savais, cher journal, comme j'en avais ras-le-bol de cette histoire de Biquette. Tout ça à cause de ma scrogneugneu de mère ! Si un jour j'ai des enfants (mais pas avec Patrick Drolet, ça, je peux te l'assurer !), JAMAIS je n'appellerai mon fils ou ma fille par son surnom devant ses amis. Un petit nom, c'est intime, non ? On ne dévoile pas ça à tout le monde.

20 h. Ce soir, Caro était à la douche. Moi, je me détendais en lisant le *MégaStar* quand maman est arrivée dans ma chambre. Avisant la couverture avec Lola Falbala qui tenait son chihuahua convalescent dans ses bras, elle m'a dit :
– Lala Ferreira fait encore parler d'elle ?!
Cette fois, je suis sortie de mes gonds.
– Tu le fais exprès ou quoi ?!
– Quoi ? Je me suis encore trompée ?
– Ferreira, c'est le nom d'une fille de ma classe, lui ai-je expliqué. Violette Comeau-Ferreira. Et Lala, je ne sais pas d'où tu sors ça.
– Moi non plus.
– Ma chanteuse préférée s'appelle Lola Falbala, maman.
– C'est un nom qui est difficile à retenir.
Difficile à retenir… Avoue plutôt, cher journal, qu'Astrid Vermeulen ne fait aucun effort. Si je comprends bien, je

dois m'estimer chanceuse que ce n'est pas mon nom à moi dont elle a du mal à se souvenir. Car sinon, selon les jours, Alice Aubry se transformerait en :

Alicia Aubin *Alissa Aubert* *Alyson Audet*

Alix Aubigny *Aline Beaudry* *Alicia Audy* *Alizée Aubret*

Vendredi 5 novembre

Ce matin, Gigi Foster s'est approchée, tout sourire. Ça n'augurait rien de bon. Pourtant, je ne portais pas mon habit de neige argenté mais mon chandail blanc cassé, mon *skinny* jeans, mon blouson turquoise et mes bottillons en cuir rouge... Elle m'a lancé :

– La biquette maigrelette en *skinny* ! T'as oublié de t'habiller en astronaute ?

– Arrêêête !!!

Ah non, elle n'allait pas s'y mettre, elle aussi. Et en plus, elle était trop méchante de se moquer encore de mes vêtements. J'ai serré les poings. Chloé et Mila ont crié :

– Gigi, tu viens jouer au basket avec nous ?

– J'arrive !

Tandis qu'elle s'éloignait, je me suis soudain sentie ridiculement petite et niaiseuse, sous le majestueux érable. Mes yeux se sont remplis d'eau.

– Tout le monde se moque de moi, ai-je murmuré.

Et mes larmes ont glissé sur mes joues. Heureusement que mon ennemie publique se trouvait maintenant à l'autre bout de la cour, car ça lui aurait fait trop plaisir d'avoir réussi à me faire pleurer. Elle en aurait profité pour me traiter de bébé.

Perdue dans mes tristes pensées, je n'avais pas vu Marie-Ève arriver.
– Bonjour, Alice !
Relevant la tête, je l'ai aperçue, à travers le flou de mes larmes. Alarmée, ma meilleure amie m'a questionnée :
– Mais, tu pleures ?! Que se passe-t-il ?
À cet instant, Africa est arrivée, elle aussi. Alors, je leur ai tout raconté. Quand j'ai eu fini, Afri s'est exclamée :
– C'est un cas d'intimidation !
Me sentant impuissante face à la situation, j'ai haussé les épaules.
– Que veux-tu que j'y fasse ?
– Il faut mettre madame Robinson au courant, a déclaré Marie-Ève.
– Je n'oserai jamais ! On va me traiter de bébé-lala, de *stooleuse*... Ce sera pire qu'avant.
– Voilà justement la prof qui s'en vient. Allons lui demander son avis.
Mes amies m'ont entraînée. Je regrettais presque de leur avoir confié mon problème.

Se campant devant notre enseignante, Africa a déclaré :
– Madame, Alice est victime d'intimidation.

– C'est vrai ? m'a demandé madame Robinson.
– Euh, oui, enfin, c'est pas très grave. Mais je n'aime pas ça.
– L'intimidation, c'est pernicieux. Viens avec moi, Alice. Tu vas me raconter ce qui ne va pas.

J'ai suivi mon enseignante jusqu'à la salle des profs. Comme monsieur Gauthier, madame Hamel et madame Plouffe s'y trouvaient, madame Robinson les a salués avant de refermer la porte.
– Montons dans notre local, Alice. Nous serons plus tranquilles.

En haut, la prof a désigné ma chaise et s'est assise à côté de moi à la place de Marie-Ève. Elle m'a questionnée. Elle allait sans doute penser qu'il s'agissait de niaiseries et que je n'avais qu'à me défendre... Eh bien, pas du tout. Quand j'ai eu terminé, elle s'est exclamée :
– Il faut agir, Alice, et vite !

Mon sang s'est glacé dans mes veines. Ça y est, elle allait en parler devant la classe et je serais la risée de l'école ! Jusqu'à la fin de l'année, dès que j'arriverais dans la cour, j'entendrais chuchoter des « Biquette maigrelette » dans mon dos. Quel calvaire !

La cloche a sonné. Madame Robinson m'a expliqué son plan.
– Ça va te prendre du courage, a-t-elle conclu, mais, selon moi, il s'agit de la meilleure façon de régler cette affaire.

Au moment où je soupirais : « D'accord », Kelly-Ann, Africa et Marie-Ève sont entrées dans notre local, suivies

par les autres. Madame Robinson s'est installée à son bureau. Moi, je n'en menais pas large. J'avais des papillons dans le ventre. Quand tout le monde a été assis à sa place, la prof a réclamé le silence en tapant trois fois dans ses mains. Puis, elle a déclaré :
– Avant de commencer la leçon de grammaire, je voudrais céder la parole à Alice. Elle a quelque chose d'important à dire. Viens me rejoindre, s'il te plaît, m'a-t-elle demandé.

Plus moyen de reculer. Comme une condamnée à mort marchant vers son trépas, je me suis avancée devant la classe. Tous les yeux étaient rivés sur moi. Sauf ceux de Jonathan, perdus dans le vague. Africa, qui me souriait, m'a lancé un regard si déterminé que ça m'a donné du courage. Je n'étais plus riquiqui, plus seule au monde. Mon enseignante me prenait au sérieux et mes amies me soutenaient. Alors, je me suis jetée à l'eau.
– Voilà, ça fait trois semaines que ça dure, mais c'est trois semaines de trop.

Je ne me sentais pas comme une Super Alice, s'apprêtant à écraser ses ennemis... Plutôt comme une Alice normale, mais forte. Ne désirant ni me venger ni humilier quiconque, j'étais néanmoins résolue à mettre un terme à ces railleries. J'ai poursuivi :
– Un jour, Patrick, tu as surpris ma mère qui m'avait appelée par le petit nom affectueux qu'elle me donne parfois, Biquette. Mais je n'ai aucune envie que toi tu m'appelles comme ça. Ça me dérange quand tu me traites de chèvre ou que tu te mets à bêler en m'apercevant.

Patrick a répliqué :
– Voyons, Alice, ne prends pas ça au sérieux. C'était juste pour blaguer.
Puis, levant les yeux au ciel, il a grommelé :
– Décidément, les filles, ça n'a vraiment pas le sens de l'humour.
– Tu te trompes, ai-je riposté. Oui, j'aime rire, moi aussi. Mais quand quelqu'un n'arrête pas de vous embêter, ça n'a plus rien de drôle.
Prenant de l'assurance, j'ai déclaré :
– Je REFUSE désormais que tu m'appelles Biquette !

C'est alors que j'ai croisé le regard ironique de Gigi Foster.
– Et toi, Gigi, tu m'as traitée de biquette maigrelette, tout à l'heure. Ça doit faire presque un an que tu me taxes de maigrichonne. J'ai beau te dire que je suis mince mais pas maigre, tu recommences. C'est du harcèlement. Je ne te donne pas le droit de me traiter de maigrichonne ou de maigrelette ! Ni de te moquer de moi !
Gigi Foster était sidérée. Moi, j'avais fini mon discours. Je me suis tournée vers notre enseignante.
– Alice s'est expliquée très clairement, a-t-elle dit. Je n'ai rien à ajouter.
Son regard sérieux est passé de Gigi Foster à Patrick.
– Tu peux retourner à ta place, Alice. Prenez votre manuel de français et ouvrez-le à la page 45.
Lorsque je me suis assise à côté d'elle, Marie-Ève a levé discrètement son pouce (signe de victoire). Et Jade m'a souri. Un sourire qui voulait tout dire.

Après le cours, Patrick est venu me trouver devant mon casier. J'étais sur la défensive. Mais il a commencé à me parler doucement :

– Tu sais que j'aime plaisanter, Alice... Biquette, je trouvais ça mignon et rigolo, comme surnom. Pour moi, il n'y avait rien de méchant à t'appeler ainsi. Je réalise maintenant que tu ne protestais pas juste pour la forme, mais parce que tu n'aimais vraiment pas ça. Désolé.

Me souvenant de ce que ma mère m'a appris depuis que je suis toute petite, je lui ai dit :

– Patrick, quand quelqu'un te dit non, c'est NON. C'est pas plus compliqué que ça.

– J'ai compris, Alice. Je ne recommencerai plus.

Ensuite, mes amies m'ont entourée. Elles se sont mises à parler toutes en même temps. Elles me disaient que j'avais été courageuse, que je les avais impressionnées. Madame Robinson m'a rappelée un instant dans la classe. Elle aussi m'a félicitée.

– Tu t'en es sortie la tête haute, Alice, sans humilier personne mais en montrant clairement que tu tiens à te faire respecter. Tu peux être fière de toi. À mon avis, tu n'auras plus d'ennuis. Si jamais ça recommençait, viens m'en parler tout de suite. Nous mettrons monsieur Rivet au courant et ensemble, nous prendrons les mesures qui s'imposent.

C'était gentil. Mais moi, j'espère qu'il n'y aura plus de prochaine fois.

Samedi 6 novembre

Alors que je descendais déjeuner, j'ai croisé maman qui montait avec une pile de linge bien plié.

– Bonjour Biquette ! Caroline regarde un film au sous-sol. Papa et Zoé sont dans la cuisine. Et moi, je vous rejoins dans deux minutes.

Biquette... Venant de ma mère, ça n'avait rien à voir avec de l'intimidation mais avec de l'amour et de l'habitude. J'ai voulu lui rappeler que sa Biquette s'appelait Alice mais je me suis retenue, par peur de lui faire de la peine. Cependant, avec ce qui s'était passé hier en classe, j'avais appris à m'affirmer. Et lorsqu'on dit les vraies choses, calmement et simplement, on se sent bien. Alors, quand ma mère est arrivée dans la cuisine, je lui ai raconté, à elle et à papa, ce qui s'était passé depuis le malencontreux « Biquette ! » lancé à la sortie de l'école, le mois dernier. Jusqu'au dénouement d'hier, en classe. Mes parents m'écoutaient attentivement. À la fin, ils ont souligné mon courage.

– Je ne savais pas que Gigi continuait à t'agacer, a dit papa.

– Avec moi, elle a toujours été peste. Il me reste encore quelques mois à la supporter. Heureusement, à la rentrée, elle n'ira pas au collège Jean-Paquin !

Prenant mon courage à deux mains, j'ai poursuivi :

– Quand j'étais petite, maman, j'aimais beaucoup être ta biquette. Et ta petite puce, papa. Mais voilà, j'ai grandi.

La maman de Biquette est distraite !

Dans 9 mois, j'entrerai au secondaire. À ma naissance, vous m'avez appelée Alice et je vous en remercie. Car j'adore mon prénom. Alors, à partir de maintenant, je préférerais que vous m'appeliez Alice plutôt que Biquette ou Puce.

Maman a eu l'air un peu triste. On aurait dit, tout à coup, qu'elle avait vieilli. L'instant d'après, cette impression avait disparu. Et c'est avec un beau sourire qu'elle m'a répondu :

– D'accord, Biqu... euh, Alice, je vais essayer de m'en souvenir !

Tu connais ma mère et sa distraction légendaire, mon beau journal. J'imagine que ça prendra des mois si ce n'est des années avant qu'elle n'arrive à mémoriser ce message simple : sa fille aînée s'appelle Alice et pas Biquette. Je devrai faire preuve de patience.

Tout à coup, j'ai pensé que je donnais moi aussi des p'tits noms à mes parents... Tant qu'à revendiquer qu'on me traite comme une grande, autant se comporter comme telle. J'ai proposé :

– Et si vous voulez, je peux toujours vous dire maman et papa plutôt que parfois moumou et poupou.

Mon père a protesté :

– Oh, non, j'aime ça quand tu m'appelles poupou !

Et maman s'est récriée à son tour :

– Et moi, je veux rester ta petite moumou.

– D'accord !

Poupou a tendu les bras et moumou et moi, on s'est jetées dedans.

Figure-toi, cher journal, que Caro a déjà rempli deux cahiers et demi ! (Il y a pas mal moins de pages dans les siens que dans les miens mais quand même, ma sœur m'impressionne. Quelle productivité ! Il faut dire que moi non plus, je ne chôme pas...) Elle a demandé à maman d'aller à la papeterie de la rue Saint-Denis pour acheter d'autres cahiers. Je les ai accompagnées dans l'espoir d'en dénicher un turquoise dans la même collection que ceux dans lesquels je t'écris. Il n'y en avait toujours pas, mais j'ai trouvé un cahier d'un beau rose très différent de celui de mon tome 1. À droite de ma « bibliothèque de cahiers », en bas de ma table de chevet, m'attendent donc 4 cahiers : le rose, le rouge, le violet et le vert émeraude. Ça me réjouit le cœur. Et toi aussi, car tu sais que je vais encore t'écrire longtemps !

Dimanche 7 novembre

Après une belle promenade à Oka en famille, maman, qui coupait une poire en morceaux pour Zoé, m'a demandé :

– Alice, peux-tu me servir un verre de lait de soya à la vanille, s'il te plaît ?

C'est ce que j'ai fait. Puis, je suis allée aux toilettes.

De retour à la cuisine pour me prendre une collation, mon attention a été attirée par une tache rouge sur la table. Intriguée, je me suis approchée. C'était une des pensionnaires de l'hôtel Aubry au bord d'une goutte de liquide… La coccinelle buvait du lait de soya ! Et, si elle continuait, c'est qu'elle aimait cette boisson. Pourvu que ça ne la rende pas malade et que ça lui donne des forces pour tenir jusqu'au printemps.

Lundi 8 novembre

Ce matin, Jonathan était affalé sur son pupitre. Après la récré, il a carrément dormi jusqu'à ce que la cloche sonne. C'est Bohumil qui l'a réveillé en douceur. Joey, hébété, ressemblait à un zombie. Bohu lui a dit :

– Viens, on descend à la cafétéria. N'oublie pas ta boîte à lunch.
Il est gentil.

Après le dîner, Bohumil nous a rejointes sous l'érable, Marie-Ève, Africa, Kelly-Ann, Jade, Violette, Audrey, Éléonore et moi. L'air préoccupé, il nous a confié que Jonathan n'avait presque pas touché à son repas.
– Ça ne peut plus durer. On dirait un mort-vivant. Je ne comprends pas : comment se fait-il que la prof ne s'en aperçoive pas ?

– Si tu veux mon avis, Bohu, je crois que ça l'arrange que Jonathan ait perdu son énergie bouillonnante, a avancé Marie-Ève.

Pour une fois, Kelly-Ann n'a pas défendu sa chère madame Robinson.

– C'est d'ailleurs depuis que la prof s'est plainte au directeur que Jonathan déplaçait trop d'air en classe qu'il a changé, ai-je ajouté. Patrick a raison : le médecin de Joey a dû augmenter la dose de son médicament. Cette dose est trop forte. Ou alors, il lui a prescrit un autre médicament qui ne lui convient pas.

– Allons trouver monsieur Rivet ! a lancé Jade.

– On n'a pas le droit d'entrer dans l'école pendant la récré, nous a rappelé Éléonore. Il faut d'abord demander la permission à...

La coupant net, Africa a répliqué :

– Jonathan est en danger. On n'a plus de temps à perdre !

Aussitôt dit, aussitôt fait. On s'est approchés de l'escalier comme si de rien n'était. Et dès que la surveillante a eu le dos tourné, on a grimpé les marches quatre à quatre et on s'est engouffrés dans le bâtiment.

Monsieur Rivet, qui mangeait un sandwich, nous a fait entrer. Après nous avoir écoutés attentivement, il a posé quelques questions. Selon lui, on avait bien fait de lui parler de la situation. Il nous a promis qu'il allait s'en occuper. À moitié rassurés, on est retournés dans la cour.

Après l'école, maman est passée nous chercher, Caroline et moi. On avait rendez-vous chez le dentiste. Devine ce qu'il m'a annoncé, cher journal ? J'ai besoin de broches pour redresser mes dents ! Horreur absolue ! Je vais ressembler à Gigi Foster !!! Maman a dit qu'elle téléphonerait demain à l'orthodontiste.

Mardi 9 novembre

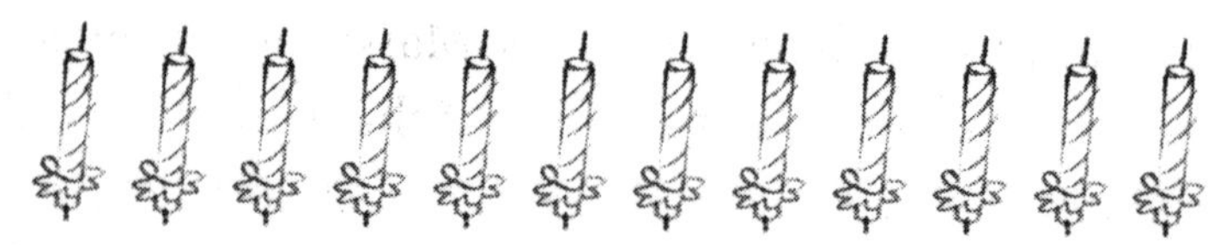

Hier après-midi, Kelly-Ann ne se trouvait pas sur le fauteuil du dentiste, elle, mais sur celui de la coiffeuse. En effet, pour ses 12 ans (c'est son anniversaire aujourd'hui !), elle s'est fait défriser les cheveux. Avant, elle relevait souvent ses fines tresses en chignon. C'était beau. Maintenant, elle a de longs cheveux noirs tout lisses. Ça lui va super bien. Audrey a demandé à Africa si elle aussi voulait faire défriser ses cheveux. Mais non, Afri, elle, tient à ses tresses.

À part ça, Jonathan est absent, cher journal.

Mercredi 10 novembre

18 h 05. Exceptionnellement, notre cours de gym hebdomadaire a été devancé à aujourd'hui. Car, demain matin,

cher journal, Kim Duval et madame Popovic ont une réunion spéciale pour préparer le fameux *move dub*. Yé ! J'ai trop hâte !

Et toujours pas de Joey. Cette nuit, j'ai ouvert la porte de la classe, il était étendu par terre, le visage contre le carrelage ! Je l'ai appelé :

– Jonathan, Jonathan !

Pas de réponse. Me penchant vers lui, j'ai saisi son poignet, à la recherche de son pouls. Mais rien. Ça voulait dire que son cœur ne battait plus ! Lâchant son bras qui est retombé inerte sur le sol, j'ai couru chercher de l'aide. J'ai dû crier car Cannelle s'est mise à aboyer. Papa est accouru. Quel cauchemar ! J'espère que ce rêve n'est pas prémonitoire. Et que Joey redeviendra comme avant. Je suis allée boire un verre d'eau. Il était presque 23 h mais je ne me suis pas rendormie tout de suite. Alors je t'ai tout raconté, mon fidèle journal.

Je fais un voeu.
On veut retrouver
notre Jonathan l'ouragan !

Jeudi 11 novembre

Vœu exaucé !!!

J'ouvrais mon sac d'école lorsque Jonathan a déboulé dans la classe, tout sourire. En voulant s'asseoir, boum badaboum ! Il a renversé sa chaise. J'ai ressenti un profond soulagement. On nous avait rendu notre Jonathan, pas un pantin au cerveau vide ! Faisant comme si elle n'avait pas entendu la chaise tomber, madame Robinson a salué notre ami :

– Bonjour, Jonathan. Nous sommes contents de te revoir en pleine forme.

– Merci, moi aussi, m'dame ! Depuis que le médecin a diminué la dose de ma médication, je me sens beaucoup mieux.

La prof a sorti un chronomètre de son sac.

– Oh, vous allez nous faire travailler avec le chronomètre comme monsieur Gauthier ! s'est écrié Joey.

– Oui, je sais que votre enseignant de l'an dernier utilisait régulièrement son chronomètre en classe. J'ai trouvé que c'était une bonne idée. C'est pourquoi je m'en suis procuré un, moi aussi.

– Yéééé ! a lancé Jonathan.

Et on a tous repris en chœur :

– Yéééééééééé !

Un autre point positif concernant ma prof.

Madame Robinson a des défauts, cher journal, mais aussi plein de qualités. Elle qui s'est toujours bien entendue avec son jeune collègue n'hésite pas à essayer certaines de ses méthodes pédagogiques et à les adopter. Ce n'est pas comme Crucru ! Qui, en passant, est toujours en congé. On commence tous à s'habituer à Miss Twigg et à son accent, et elle à nous. La remplaçante a pas mal moins de discipline à faire qu'au début (sauf avec Patrick qui continue à vouloir lui tenir tête...). Et moi, j'apprends l'anglais et je récolte des bonnes notes. Hier : 8/10 ! Yé !

Décidément, je suis bien la fille d'Astrid Vermeulen !

La deuxième fois que Jonathan a fait basculer sa chaise, la prof lui a simplement demandé de se rasseoir. Mais quand, cet après-midi, un 3e badaboum ! a retenti au milieu de la leçon de poésie, j'ai eu peur que madame Robinson ne se transforme en dragon et ne fonde sur son élève hyperactif. Et que tout recommence... Eh bien, crois-le ou pas, cher journal, la prof est restée zen. Dévisageant notre ouragan par-dessus ses lunettes, elle lui a dit :

– Eh bien, Jonathan, je crois qu'il est temps qu'on s'installe dans notre coin lecture. Assis sur un coussin, tu ne pourras plus tomber. Je ne voudrais pas que tu sois couvert de bleus, demain.

Tomber trois fois de sa chaise le même jour... Joey a battu son record !

C'est ainsi qu'on s'est tous retrouvés au fond de la classe. Après avoir lu un dernier poème de Roland Giguère, la prof nous a conviés à un match de vocabulaire. On avait 5 minutes chrono pour trouver le plus de mots possibles contenant les trois lettres « ale ».

– Mâle !

– Pâle !

– Ralentir !

....

– Amicale !

....

– Boréale ! Comme une aurore boréale, a précisé Jonathan.

Le match avait démarré lentement, mais une fois qu'on a été bien réchauffés, nos mots se sont mis à jaillir comme des fusées :

Râler ! **Alerte !** **Amygdale !** **Mygale !**
Banale ! **Spirale !** **Colossale !** **Tropicale !**
Navale !
(Comme une bataille navale…) **Gringalet !** **Galet !**

– Qu'est-ce que ça signifie, gringalet ? a demandé Eduardo.

– C'est comme Bohumil, a répondu Gigi Foster.

Bohu a rétorqué :

– C'est pas parce que je suis le plus jeune et le plus petit de la classe que je suis un gringalet pour autant ! Brutale !

– Merci ! a lancé JJF, peu habituée à se faire remettre à sa place par le paisible Bohu.

– En vous disputant, vous perdez du temps, a signalé notre enseignante.

Bohumil s'est expliqué :

– Lorsque j'ai dit « brutale », je ne visais pas Gigi mais je continuais le jeu.

Cannibale ! Spatiale ! Spéciale ! Alezan !

– C'est quoi, alezan ? s'est enquise Emma.

– Un cheval de couleur rougeâtre à brun, tirant parfois sur le roux, a aussitôt répondu Marie-Ève. Les crins ne sont jamais plus foncés que la robe.

– La robe ?! s'est esclaffé Stanley.

Notre spécialiste de l'équitation lui a appris que la robe d'un cheval était son pelage.

– Bon, c'est pas tout, a déclaré Hugo : environnementale.

Squale ! Céréale ! Géniale ! Fatale ! Ballerine !

– Ballerine ne compte pas, a signalé la prof. Car ce mot comprend 2 « l ».

La bataille était serrée, cher journal. L'équipe des (coussins) rouges a gagné avec 21 points et la nôtre a totalisé 19 points. Ravie des mots variés qu'on avait trouvés, notre enseignante nous a accordé une de ses nombreuses lectures-privilèges. C'est ainsi qu'elle nous a lu d'une traite les 15 dernières pages de *Moi, Boy* de Roald Dahl, notre livre-récompense commencé le mois dernier. Tiens, si ma mère me demande encore ce qu'on fait avec madame Robinson, je devrais lui répondre : « Elle nous raconte des histoires. »

Vendredi 12 novembre

– Il faut croire en vos rêves ! nous a dit madame Robinson à la fin de la leçon sur les grands explorateurs.
– Moi, je rêve d'aller sur Mars ! a lancé Jonathan.
– Pourquoi ? lui a demandé la prof.
– Monsieur Gauthier nous a raconté qu'il y avait des volcans et des tempêtes incroyables, là-bas !

Wow ! Jonathan avait retenu ça ! Il faut dire que notre prof de 5e B était tellement captivant. Madame Robinson s'est raclé la gorge.
– Hum… tu peux explorer la planète Mars dans ton imagination. Ou en regardant des documentaires. Mais quand je disais : « Il faut croire en ses rêves », je parlais de rêves plus réalistes.
– C'est réaliste ! a rétorqué Joey. D'après monsieur Gauthier, la NASA compte envoyer des astronautes sur Mars dans les années 2030. Je pourrais faire partie de la première mission sur la planète rouge.

Je te rassure, cher journal : jamais je ne m'aventurerai dans l'espace… Car je me souviens que, lorsqu'il nous a parlé de cette expédition vers Mars, monsieur Gauthier nous a mentionné le risque que le vaisseau spatial se perde en chemin… Un vrai cauchemar !

Après avoir réfléchi un instant, notre enseignante lui a répondu :

– En effet, on ne sait jamais… Mais pour devenir astronaute, il va falloir bien étudier.

– J'ai aussi deux autres idées de métier, a ajouté Jonathan : pilote d'avion…

Oupsie, je préférerais voyager dans un avion piloté par quelqu'un d'autre… Car soit l'appareil du commandant Vadeboncœur battrait des records de vitesse et mettrait 3 heures au lieu de 6 pour se rendre à Bruxelles, soit il ferait des loopings et n'arriverait jamais à destination… parce qu'il se serait écrasé dans l'océan Atlantique… Quelle horreur !!!

– Ou alors, conducteur de Zamboni, a poursuivi Joey, qui, décidément, avait retrouvé 100 % de sa vitalité.

Patrick et Eduardo ont pouffé de rire.

– Pourquoi vous rigolez ? a lancé Africa. Des bons conducteurs de Zamboni, on en a toujours besoin !

– C'est bien vrai ! a renchéri Kelly-Ann. On patine tellement mieux quand la glace est toute lisse.

Stanley, un grand fan de hockey, a renchéri :

– Hey, Joey, si tu choisis ce métier, tu ne seras jamais au chômage !

Notre ouragan national, ravi, s'est levé brusquement, faisant par la même occasion tomber sa chaise…

En la ramassant, il a déclaré :
– Stanley a de la chance car la coupe de la victoire porte son nom. J'aurais bien aimé, moi, qu'elle s'appelle la coupe Jonathan. Mais finalement, je veux devenir le meilleur conducteur de Zamboni du Québec. Comme ça, j'aiderai les Canadiens à gagner la coupe Stanley !

Et, levant bien haut son bras, il a fait le V de la victoire.
– Je vais croire en mon rêve, madame, a-t-il ajouté, vous pouvez en être certaine !

Madame Robinson souriait.
– Plus tard, Jonathan, lorsque je regarderai un match qui se passera à Montréal, je serai fière de toi chaque fois que les Canadiens marqueront un but !

Que des bonnes nouvelles !

☺ Non seulement madame Robinson ne semble plus faire tout un cas de la chaise de Joey dont le destin est de basculer, mais en plus, elle encourage notre ami. Tant mieux !

☺ Patrick, affecté par le fait que son père se trouvait au chômage, était fier de nous annoncer, à la récré, que ce dernier avait décroché un nouveau travail.

☺ L'inévitable ragoût d'oignons-épinards-tofu, Zoé n'y a pas échappé, il y a deux semaines. Mais après avoir recraché la première bouchée, elle a gardé la bouche obstinément fermée. Depuis, maman ne parle plus de son projet de livre de recettes de tofu pour bébés. Devant le manque de coopération évident de son mini-cobaye, je crois qu'elle a renoncé à l'écrire. Toute une génération de bébés l'a échappé belle !

☺ Emma m'a invitée chez elle demain après-midi. Je t'avoue, cher journal, que j'ai hésité avant d'accepter. Tu devines pourquoi ? Je te rappelle que la famille Shapiro héberge 2 mygales et plein d'autres araignées… Sans compter un scorpion… Mais Emma m'a garanti que ces bestioles se trouvaient dans la chambre de Benjamin, à l'intérieur de vivariums dont elles ne peuvent sortir. Alors, j'ai dit oui. J'ai très envie de découvrir l'endroit où vit Emma et de faire la connaissance de sa famille (surtout ses légendaires grands frères). Demain soir, j'aurai sûrement plein de choses à te raconter.

☺ Autre invitation : je passerai la journée de dimanche avec Marie-Ève et sa cousine Salomé. Imagine-toi que la mère de ma meilleure amie nous offre une séance de *Nail Art* ! Hyper méga cool !

☺ Africa m'a envoyé de chouettes photos prises avec son iPod, avant de quitter notre classe. Ma préférée ? Celle où on me voit avec Pat et Joey. J'adore nos faces ! Je la collerai sur la couverture de mon cahier bleu marine.

Samedi 13 novembre

Emma est passée me chercher. Elle savait où j'habite vu qu'elle a participé à la tournée d'Halloween de la 6e B. Pour une fois, elle était à l'heure. Et 20 minutes plus tard, on est arrivées devant chez elle. À première vue, rien ne distinguait sa maison des autres de la rue Georges-Baril. Sortant sa clé, elle a ouvert la porte. Ou plutôt elle a voulu l'ouvrir mais quelque chose l'en empêchait. Il a fallu donner un bon coup d'épaule pour que la porte daigne s'entrebâiller. Nous nous sommes faufilées à l'intérieur. Ce qui bloquait l'entrée, c'était des souliers. Des dizaines de godasses, dont plein de chaussures de sport d'hommes qui dégageaient une suffocante odeur de fromage. Pouaaahhh !!! J'ai failli me boucher le nez mais je me suis retenue ; ça n'aurait pas été poli. Surtout qu'Emma ne semblait pas se formaliser de ce marécage de souliers puants. Comme si c'était la chose la plus normale du monde, elle a marché *sur* les chaussures de son père, de Justin, de Valentin et de Benjamin. Je l'ai imitée en faisant attention de ne pas me tordre les pieds.

Dans le salon, il y avait des plantes vertes partout. On ne voyait rien dehors car les vitres de la fenêtre étaient couvertes de buée. Un chien saucisse jaune un peu pelé est arrivé. Il a léché la main d'Emma.

– Salut, ma belle Chipolata. Voici mon amie Alice.

M'ignorant complètement, la chienne est repartie d'où elle était venue.

Un deuxième chien, noir, celui-là, et tellement poilu qu'on ne distinguait pas ses yeux, ronflait dans un fauteuil.

– C'est Carpette, a dit Emma.

L'autre fauteuil était occupé par une très vieille dame toute menue, qui sommeillait elle aussi. À côté d'elle, sur un guéridon, il y avait un verre d'eau dans lequel baignait un dentier. Ouache...

– Babouchka, a déclaré Emma. Mon arrière-grand-mère.

Sur le canapé était étendue une autre femme portant des jeans et une tunique bleue. Une épaisse couche de crème d'un vert douteux couvrait son visage. Quant à ses yeux, ils étaient cachés par deux tranches de concombre. Elle n'a pas bronché quand Emma s'est approchée d'elle.

– Quand maman se repose avec son masque à l'avocat et au citron, ça lui fait toujours cet effet: elle s'endort, a commenté mon amie à mi-voix.

Moi, si moumou me faisait ce coup-là lorsque j'amène une copine à la maison, je serais morte de honte. Heureusement, ce genre de situation ne risque pas d'arriver au 42, rue Isidore-Bottine. Astrid Vermeulen ne fait JAMAIS de sieste (enfin, presque jamais, elle s'en est permis une quand elle était épuisée, il y a quelques semaines). De plus, les avocats, elle nous les sert à table: en morceaux dans la salade, en moitié avec un filet d'huile d'olive et une pincée de fleur de sel ou encore en guacamole... Mmmm!

À côté d'une bibliothèque remplie de jeux de société trônait un piano noir, aussi brillant qu'un miroir. Pas un simple piano collé contre le mur, non. Un instrument de concert. Je crois que ça s'appelle un piano à queue.

– Quelqu'un joue du piano? ai-je demandé, un peu bêtement.

Car si ce meuble imposant se trouvait là, c'est qu'un membre de la famille Shapiro s'en servait. Emma a répondu:

– Oui. Maman, Benjamin et moi. Benjamin joue aussi du violon, comme papa. Valentin, lui, c'est la trompette. Et Justin, la batterie.
– Tu joues du piano ?!
– Oui.

Je ne savais pas qu'Emma Shapiro jouait du piano.

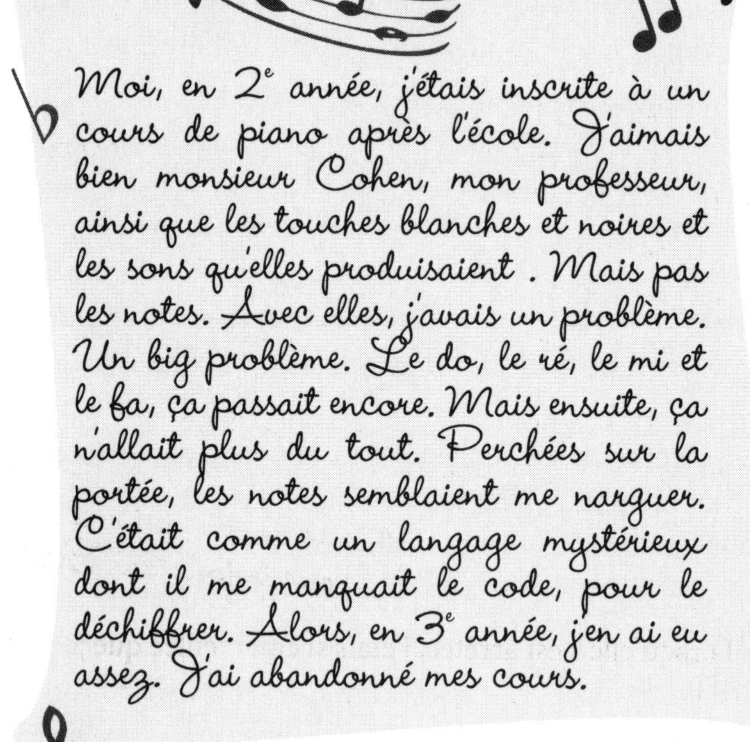

Moi, en 2e année, j'étais inscrite à un cours de piano après l'école. J'aimais bien monsieur Cohen, mon professeur, ainsi que les touches blanches et noires et les sons qu'elles produisaient . Mais pas les notes. Avec elles, j'avais un problème. Un big problème. Le do, le ré, le mi et le fa, ça passait encore. Mais ensuite, ça n'allait plus du tout. Perchées sur la portée, les notes semblaient me narguer. C'était comme un langage mystérieux dont il me manquait le code, pour le déchiffrer. Alors, en 3e année, j'en ai eu assez. J'ai abandonné mes cours.

Je me demandais si je me souviendrais encore des premières mesures d'*À la claire fontaine*.

– Je peux ?

– Bien sûr, a répondu Emma en ouvrant le couvercle du piano.

– Je ne vais pas réveiller ta mère et ton arrière-grand-mère ?

– Pas du tout.

J'ai pianoté quelques notes en me trompant à trois reprises.

– Et toi, tu joues quoi ?

– En ce moment, j'étudie le 3e mouvement de la sonate dite *Clair de lune* de Beethoven.

– Tu peux me le jouer ?

– Le début du moins, car je ne maîtrise pas encore le 3e mouvement en entier.

Après avoir placé sa partition sur le pupitre, Emma s'est assise sur le banc. Ses doigts se sont mis à courir sur le clavier. Hein ! Elle joue du piano comme elle respire, cher journal ! Emma Shapiro est aussi nulle que moi au basket, elle a une orthographe des plus fantaisistes, mais les notes n'ont apparemment aucun secret pour elle ! C'était tout simplement magnifique.

Ma mère aimerait ça que je joue du Beethoven !

Lorsqu'elle s'est arrêtée, j'étais si émerveillée que je suis restée sans voix. Après qu'Emma a refermé le couvercle du piano, je lui ai demandé si elle suivait des cours (une autre question stupide !).

– Oui, le lundi après l'école. Ça fait maintenant sept ans que je prends des cours.

J'ai suivi Emma au 2e étage. Et dire que ma mère se plaint que ma chambre est en désordre ! Parce que mon lit est rarement fait, que mes vêtements ont tendance à s'accumuler sur ma chaise et que des albums des *Zarchinuls* traînent sous mon lit ! Moumou n'a encore RIEN vu. La chambre ou plutôt le *BIG* bazar d'Emma est un véritable capharnaüm ! Son lit est un champ de bataille plein de vieux toutous borgnes, de cartes à jouer, de livres sur les dinosaures, sur la vie au temps des Incas, de BD de Gaston Lagaffe, bilboquet, harmonica, vêtements en boule, etc. Ses fameux magazines sur les pelles mécaniques jonchent le sol au milieu de coussins, de roches aux couleurs étonnantes, de partitions de musique, d'autres chandails, pantalons, bas… Pas étonnant qu'Emma Shapiro ne retrouve jamais les deux bas d'une même paire ! Et parlant de pelles mécaniques, ça en prendrait une pour arriver à se frayer un chemin à travers ce fatras.

– Je vais à la toilette, m'a dit Emma. Tu peux t'asseoir en attendant.

M'asseoir où ??? TILT ! J'ai sorti mon iPod de ma poche. Le cœur battant, j'ai mitraillé la chambre d'Emma Shapiro : *clic clic clic clic clic clic*. Lorsque le bruit de la chasse d'eau a retenti, j'ai rangé mon iPod. Ni vu ni connu. Mais je détenais des PREUVES ! La prochaine fois qu'Astrid Vermeulen me houspillera à propos de mon soi-disant bazar, cher journal, je les lui montrerai. Hé, hé! *Alice, photographe clandestine!*

Emma m'a proposé d'aller rendre visite aux pensionnaires de Benjamin.

Oupsie... Et moi qui m'étais dit que je ne voulais plus JAMAIS entendre parler de mygales après l'exposé oral que j'avais fait avec Éléonore, Catherine P. et Gigi Foster, en 5e... Mais, la curiosité l'emportant, j'ai suivi mon amie au sous-sol. Le royaume de Benjamin était relativement en ordre (comparé à celui de sa sœur). Sur les quatre tables en bois placées côte à côte contre le mur du fond étaient alignées une dizaine de très grandes boîtes en verre. Dans la première, j'ai découvert un scorpion, dans une autre, un lézard, puis une dizaine de souris blanches aux yeux rouges, et ensuite, des tas d'araignées. Des moyennes, des grandes et... les deux énormes mygales.

– Si tu veux, tu peux caresser Douce, m'a gentiment invitée mon amie.

Elle blaguait ou quoi ?!!!!!!!!

Apparemment non. Car, soulevant le couvercle du vivarium de ce véritable monstre, Emma l'a flatté en lui chuchotant des mots doux.

– Elle... elle a plusieurs yeux! ai-je constaté, horrifiée.

– Tu as raison, Alice. La plupart des araignées ont huit yeux.

Si cette nuit, je ne fais pas de cauchemar, cher journal, ça tiendra du miracle... À la place de Benjamin, jamais je

ne parviendrais à fermer l'œil dans cette chambre. J'aurais bien trop peur qu'une de ces créatures ne parvienne à sortir de son vivarium… Rien qu'à y penser, je me sentais mal. J'ai dit à Emma :
– On remonte ?

Dans la cuisine régnait une forte odeur de banane. Il y avait une grande cage avec un cochon d'Inde beige. Sa crête de poils sur la tête lui donnait l'air d'un punk ! C'était le punk le plus mignon qu'on puisse imaginer.
– Elle, c'est Pépita, a dit Emma en la sortant de sa cage. Tu as envie de la tenir ?
– Euh, elle ne mord pas ? ai-je demandé.
– Non, elle est inoffensive. Elle se faisait attaquer par les autres cochons d'Inde dans le laboratoire où travaille mon père. Ils lui grignotaient les oreilles !
(En effet, cher journal, Pépita a des oreilles percées. Une vraie de vraie punk avec des *piercings* !!!)
– Tiens, assieds-toi, Alice. Je vais la déposer sur tes genoux.
Pépita, qui me regardait avec curiosité, n'a pas bronché. Je l'ai caressée du bout du doigt, ce qui a eu l'air de lui plaire. En guise de cadeau, elle a déposé deux mini-crottes noires sur mon jean.

Je ne savais pas qu'Emma Shapiro avait un cochon d'Inde.

Le comptoir de la cuisine était couvert de bananes. Pas juste une dizaine, comme chez nous lorsque mes parents reviennent de l'épicerie. Il était littéralement couvert de régimes de bananes! Des très mûres constellées de taches brunes, des jaunes comme je les aime et des vertes! J'ai soudain eu l'impression que les mystérieux grands frères d'Emma Shapiro étaient des singes. Plus précisément, des orangs-outans chaussés de souliers de sport qui passaient leur journée à danser en s'empiffrant de bananes, comme King Louie, dans *Le livre de la jungle.*

– Tu en veux une? m'a demandé Emma, me tirant de ma rêverie.

– D'accord. Merci.

Elle aussi a commencé à éplucher une banane. Après avoir mordu dedans, elle l'a approchée de Pépita qui à son tour en a pris une (toute petite) bouchée.

Sur ces entrefaites, madame Shapiro est arrivée, le visage encore tartiné de son masque de beauté vert. Les rondelles de concombre, elle les a déposées sur un seau où s'empilaient des pelures de bananes (le récipient pour le compost, j'imagine). Emma a dit:

– Mammouth, je te présente Alice.

Mammouth… De confusion, la bouche encore pleine de banane, j'ai bafouillé:

– Bonjouth, euh, bonjour madame.

– Bonjour, Alice! Ravie de faire ta connaissance! J'ai beaucoup entendu parler de toi. Ton père est portugais, n'est-ce pas?

– … !!! Non, il est québécois. (C'est Violette qui a un père portugais, cher journal.)

– Je me suis trompée. Toi, tu as un frère en 1re secondaire.
– Non plus, ai-je répondu en souriant. Je n'ai pas de grand frère mais deux jeunes sœurs. (Elle me prenait pour Africa ou pour Catherine P…)
– Décidément !

L'air soudain très inspirée, elle s'est exclamée :
– Je sais ! Tu es LA fille qui marque plein de paniers au basketball ! (Cette fois, elle me confondait avec Gigi Foster !)

Hochant la tête, j'ai pouffé de rire. Amusée, Emma a dit :
– Tu n'y es pas du tout, Mammouth !
– Désolée, s'est excusée la fameuse Mammouth en se mettant à rire elle aussi. Enfin, peu importe, Alice, tu es la bienvenue chez nous !

Heureusement, même si la mère d'Emma semblait encore plus distraite que la mienne (incroyable mais vrai !), elle avait l'air ultra-sympa. Comme sa fille, d'ailleurs. Elle non plus n'était pas le moins du monde embarrassée. Dans la famille Shapiro, il leur manque quelque chose qui fait qu'ils n'ont aucune conscience d'être parfois un peu… (un peu beaucoup !) « spéces » (traduction pour toi, cher journal : spéciaux. À l'école, les jumelles disent souvent ça). J'ai trouvé ! Ce qui leur fait défaut, c'est le gène… de la gêne ! Et Emma qui appelle sa mère « Mammouth » ! Cette dame est grande et corpulente, d'accord, et sa chevelure brune légèrement bouclée et mêlée de cheveux gris pourrait, avec un peu d'imagination, faire penser à la fourrure d'une maman mammouth. Mais la ressemblance s'arrête là.

– Je vais aller ôter mon masque dans la salle de bain, a annoncé la mère d'Emma. Peux-tu aller voir si Babouchka est réveillée ?

Deux minutes plus tard, mon amie était de retour avec son aïeule.

– Babouche, voici mon amie Alice.

Avec un fort accent, la vieille dame m'a saluée :

– *Ponchour, Alizz !*

– Bonjour, madame.

Même si elle est ratatinée comme une vieille pomme, ses yeux bleu turquoise pétillants de malice animaient son visage. Elle a marché à petits pas vers la cuisinière. Elle a fait bouillir de l'eau qu'elle a versée dans une théière. Et je te laisse deviner ce qu'elle a choisi comme collation, cher journal ! Tu veux un indice ? C'est jaune et courbé, comme la bouche d'un bonhomme sourire (ou un bonhomme dépité si on tourne la banane de l'autre côté car, eh oui, on ne peut rien te cacher, c'était bien ce fruit qu'elle dégustait avec un plaisir évident).

– *Prentrez-fous* une tasse de thé avec moi ?

– Non merci, Babouche. Et toi, Alice ?

– Moi non plus. Merci.

– Offre au moins une *panane* à ton amie ! a dit Babouchka.

Emma a rassuré son arrière-grand-mère.

– On en a déjà mangé.

Lorsqu'on est retournées au piano, je n'ai pu m'empêcher de demander à Emma :

– Tu appelles ta mère Mammouth ?
– Oui, c'est un petit nom affectueux que je lui donne depuis des années.
– Et… ça ne la dérange pas ?
– Non, pourquoi ?
– La mienne, je ne suis pas sûre qu'elle apprécierait ce surnom. Elle risquerait de penser que je me moque d'elle. Que je la trouve vieille, par exemple.

Tombant des nues, Emma a dit :
– Comment ça ?!

Puis, son visage s'est éclairé brièvement avant de reprendre un air soucieux.
– Tu ne penses quand même pas que j'appelle ma mère Mammouth ?
– ???????!!!!!!!
– Je veux dire Mammouth écrit comme un mammouth, le mammifère préhistorique.
– … Ben oui, depuis tout à l'heure, c'est ce que tu m'affirmes !
– Oh, non, ma maman, c'est Mamoutte.

Et elle a épelé :
– M A M O U T T E.
– Ah, d'accord.

Je ne voyais pas vraiment ce que ça changeait, puisque Mamoutte se prononce de la même façon que mammouth, mais visiblement, pour Emma, ça faisait toute la différence.

Mammouth avec sa mammoutline ou plutôt, son Emmammoutline !

– Encore que Mammouth, c'est mignon aussi, a conclu Emma.

À part ça, l'après-midi a passé trop vite. Emma et moi, on s'est amusées à inventer une pièce à quatre mains au piano. Quand papa a sonné, on achevait une partie de Mikado. Ma seule frustration était de partir sans avoir vu les hommes de la famille puisque le père de mon amie se trouvait à Londres pour un congrès scientifique. Justin, lui, passait la journée avec son amoureuse, Valentin se trouvait à la patinoire et Benjamin chez un copain.

De retour à la maison, j'ai tenu ma promesse, cher journal : je t'ai raconté mon après-midi dans une autre galaxie. Promesse entrecoupée par le souper (des crêpes farcies : j'en ai mangé une aux poireaux et une aux champignons. Impossible de dire laquelle était la meilleure ! Plus une part de tarte à la citrouille...).

Dimanche 14 novembre

On ne peut pas imaginer deux journées plus différentes ! Aujourd'hui, pas de pièce sens dessus dessous mais la chambre pimpante de ma meilleure amie. Pas d'araignées surdimensionnées mais le minuscule chihuahua de Lola Falbala dont on a admiré les dernières photos sur son site (il est trop rigolo avec la collerette que Lola lui a mise pour qu'il n'enlève pas son pansement). Pas de sonate au piano mais du karaoké. On s'en est donné à cœur joie toutes les trois (avec Salomé). Pas d'effluves de bananes ni de pieds qui puent mais l'odeur du vernis à ongles. J'aime me retrouver dans le salon de beauté de Stéphanie Poirier. Cette pièce fait partie de mon enfance puisque j'y viens depuis que j'ai 5 ans. L'esthéticienne nous a prêté son catalogue de 400 modèles de *Nail Art*. On l'a feuilleté ensemble, sur le pouf de Marie-Ève. Pas facile de choisir…

- ♥ Finalement, j'ai craqué pour des ongles turquoise avec des papillons bleus. J'adore ! Je vais y faire bien attention pour les garder le plus longtemps possible.
- ♥ Marie-Ève a opté pour le modèle 328 du catalogue : des ongles recouverts de vernis transparent ornés d'une spirale corail avec des paillettes argentées et un mini-brillant. Très classe !
- ♥ Salomé a demandé à sa tante de lui vernir les ongles en rouge et d'y ajouter des caractères chinois en noir. Wow !

Quand maman m'a ramenée à la maison, après le souper, il faisait déjà nuit. En entrant dans ma chambre, j'ai vu la pleine lune derrière ma fenêtre. Oh ! qu'elle était belle, comme illuminée de l'intérieur ! Elle surplombait la maison de Petrus. À l'étage, les deux pièces étaient éclairées, elles aussi. Celle de droite a brusquement été plongée dans l'obscurité. Puis, au bout de quelques secondes, la lumière est réapparue. Tout était normal, cher journal : Willem s'amusait avec l'interrupteur.

Débarquant dans notre chambre, Caro a allumé le plafonnier. Éblouie, j'ai cligné des yeux. Le charme était rompu. J'allais descendre le store lorsqu'une silhouette s'est découpée dans l'encadrement de la fenêtre de gauche. Hein, mais c'était Petrus ! Qui avait dû me voir car il a lancé la main dans ma direction. Alors, je l'ai salué à mon tour, un peu comme si mon bras était un essuie-glace. Il m'a fait un dernier bye-bye avant de fermer son store. Et moi, j'ai descendu le mien. Ça alors, il est vraiment sympathique, mon voisin de la 6e A !

Elle est bel et bien finie, l'Halloween, avec ses ténèbres remplies de menaces et ses cauchemars. Ce soir, une nuit bienveillante enveloppe les rues de mon quartier. La lune veille sur nous. À demain, cher journal !

Catalogage avant publication de Bibliothèque et Archives nationales du Québec et Bibliothèque et Archives Canada

Louis, Sylvie

Le journal d'Alice
Sommaire : t. 7. Ne m'appelez plus jamais Biquette !
Pour les jeunes de 9 ans et plus.

ISBN 978-2-89686-687-8 (v. 7)

I. Battuz, Christine. II. Titre. III. Titre : Ne m'appelez plus jamais Biquette !
PS8623.O887J68 2010 jC843'.6 C2009-941002-8
PS9623.O887J68 2010

Direction littéraire et artistique : Agnès Huguet
Révision et correction : Céline Vangheluwe
Conception graphique : Nancy Jacques
Conception graphique de la couverture : Dominique Simard

Dépôts légaux : 3e trimestre 2013
Bibliothèque et Archives nationales du Québec
Bibliothèque et Archives Canada

Dominique et compagnie
300, rue Arran, Saint-Lambert (Québec) J4R 1K5
Téléphone : 514 875-0327
Télécopieur : 450 672-5448
Courriel : dominiqueetcompagnie@editionsheritage.com
www.dominiqueetcompagnie.com

Imprimé au Canada
Nous reconnaissons l'aide financière du gouvernement du Canada par l'entremise du Fonds du livre du Canada et par le Conseil des Arts du Canada.
Nous reconnaissons l'aide financière du gouvernement du Québec par l'entremise du Programme de crédit d'impôt – SODEC – Programme d'aide à l'édition de livres.

Remerciements de l'auteure
Montréal, chanson écrite et interprétée par Ariane Moffatt.
Le livre *La citrouille d'Halloween* dont Léa, Laurie et Catherine Frontenac se sont inspirées pour décorer leurs citrouilles est paru aux éditions Hors Collection.
(Créations de Joost Elffers et Saxton Freymann. Texte de Johannes van Dam.)

Achevé d'imprimer en septembre 2013 sur les presses de Payette & Simms à Saint-Lambert (Québec)